Viagens virtuais psicodramáticas

CIP-BRASIL. CATALOGAÇÃO NA PUBLICAÇÃO
SINDICATO NACIONAL DOS EDITORES DE LIVROS, RJ

V665

Viagens virtuais psicodramáticas : a travessia da sociedade de psicodrama de São Paulo / organização Adelsa Cunha, Elisabeth Sene-Costa. - 1. ed. - São Paulo : Ágora, 2022.
152 p. ; 21 cm.

Inclui bibliografia
ISBN 978-85-7183-305-0

1. Psicoterapia. 2. Psicodrama. I. Cunha, Adelsa. II. Sene-Costa, Elisabeth.

22-76369 CDD: 616.891523
CDU: 615.851

Meri Gleice Rodrigues de Souza - Bibliotecária - CRB-7/6439

Viagens virtuais psicodramáticas

A TRAVESSIA DA SOCIEDADE DE PSICODRAMA DE SÃO PAULO

ADELSA CUNHA E ELISABETH SENE-COSTA
[orgs.]

EDITORA
ÁGORA

VIAGENS VIRTUAIS PSICODRAMÁTICAS
A travessia da Sociedade de Psicodrama de São Paulo

Editora executiva: **Soraia Bini Cury**
Preparação: **Janaína Marcoantonio**
Revisão: **Raquel Gomes**
Capa: **Alberto Mateus**
Projeto gráfico e diagramação: **Crayon Editorial**

Editora Ágora
Departamento editorial
Rua Itapicuru, 613 – 7º andar
05006-000 – São Paulo – SP
Fone: (11) 3872-3322
http://www.editoraagora.com.br
e-mail: agora@editoraagora.com.br

Atendimento ao consumidor
Summus Editorial
Fone: (11) 3865-9890

Vendas por atacado
Fone: (11) 3873-8638
e-mail: vendas@summus.com.br

Impresso no Brasil

Sumário

PREFÁCIO 7
Elisabeth Sene-Costa

APRESENTAÇÃO 11
Adelsa Cunha

1 EMOÇÕES À MESA NA CENA PSICODRAMÁTICA –
OBESIDADES E PANDEMIAS 21
Ana Cristina Benevides Pinto

2 PSICODRAMA E CONSTELAÇÃO FAMILIAR –
CONCILIANDO SABERES 33
Denise Silva Nonoya

3 EXPERIÊNCIAS SURREALISTAS – PANDEMIA E PSICODRAMA:
COMO SOBREVIVEREMOS? 51
Elisabeth Sene-Costa

4 ENCONTROS ÉTNICO-AFETIVOS – REFLEXÕES SOBRE
BRANQUITUDE E NEGRITUDE 69
Lúcio Guilherme Ferracini e Maria Célia Malaquias

5 ENTRE O PALCO E A COXIA DE *NÓS E NOSSOS PERSONAGENS* 77
Luiz Contro

6 PSICODRAMA E CULTURA DE PAZ – A COMUNICAÇÃO
PACÍFICA COMO CAMINHO 85
Maher Hassan Musleh

7 ANOTAÇÕES SOBRE O SENTIMENTO DA VERGONHA 95
Maria Amalia Faller Vitale

8 O FIO DA VIDA E A VIDA POR UM FIO – APRENDENDO
A SE REENCANTAR EM TEMPO DE PANDEMIA 105
Maria Luiza Vieira Santos e Mariângela Pinto da Fonseca Wechsler

9 EDUCAÇÃO E SOCIOPSICODRAMA – DIFERENTES CONTEXTOS 113
Marília Josefina Marino

10 PSICODRAMA BIPESSOAL *ONLINE* – SERÁ QUE DÁ? 123
Rosa Cukier

11 NAVEGAR É PRECISO... *E LA NAVE VA* 137
Yvette Datner

Prefácio

Elisabeth Sene-Costa

> [...] o psicodrama moderno é sempre novo e virgem, não repetido em sessões sucessivas. Demonstramos que há novos caminhos e novos objetivos.
> (Moreno, 2012, p. 13)

Quando Moreno escreveu essa frase, ainda no século 20, estava se referindo ao teatro revolucionário – o teatro da espontaneidade –, que acreditava ser o futuro do teatro moderno. O que ele idealizava exatamente não se concretizou; no entanto, do meu ponto de vista, a frase é válida e compatível, neste século 21, com a atual "modernidade" do psicodrama.

Esclareço. Em 2020, com o início da pandemia da Covid-19 e a infecção em massa provocada pelo vírus, as pessoas foram obrigadas a ficar em casa e a manter o distanciamento social. Empresas, instituições e escolas fecharam as portas. Então, como se comunicar? Como trabalhar? Como estudar? Como se divertir?

A resposta veio pelos meios virtuais de comunicação, que se utilizaram de ferramentas *online* para transmitir, ao vivo, áudios e vídeos pela internet. Essas transmissões tornaram-se indispensáveis e contribuíram para nossa interação social com familiares, amigos, professores, chefes, colegas de trabalho e outros. Vários artistas promoveram entretenimento apresentando *pocket shows*; muitos desenvolveram cursos, ministraram palestras, divulgaram vários tipos de serviços e produtos. Enfim, as redes sociais se expandiram para auxiliar a população a não se sentir totalmente isolada.

A Sociedade de Psicodrama de São Paulo (SOPSP) não poderia fugir dessa "modernidade". Em 2020 ela completou 50 anos e, inicialmente, a ideia da diretoria executiva era realizar uma grande festa comemorativa. Infelizmente isso não foi possível. A pandemia se alastrava.

A saída mais brilhante para uma comemoração foi convidar psicodramatistas para realizar *lives* psicodramáticas. Os convidados poderiam escolher o tema de seu interesse, o título e o modo de apresentá-lo – por meio de um relato, uma conversa, entrevista ou aula com *slides*. A dramatização *online*, ainda muito incipiente no meio psicodramático, também seria possível e até esperada pelos participantes, que se sentiam curiosos com a mais recente maneira de dramatizar. Poder-se-ia dizer, talvez, que aqueles seriam momentos de "não saber" (Moreno, Blomkvist e Rützel, 2001, p. 29), nos quais diretor e grupo realizariam um psicodrama virgem, como disse Moreno, em relação à ação dramática presencial.

O(a) diretor(a) de cena precisaria ser suficientemente criativo(a) para colocar consignas claras ao grupo, do aquecimento à dramatização *online*. Os participantes, cada um na sua casa (ou em outro local), com o notebook ou celular na mesa ou na mão, teriam de estar muito envolvidos com o tema. Além disso, deveriam situar-se em um lugar onde pudessem ficar a sós; do contrário, a qualquer instante um animal, um filho ou cônjuge poderiam adentrar o seu espaço e desaquecer a todos, dificultando ou interrompendo o trabalho proposto. Por outro lado, mesmo com situações delicadas, diretor(a) e participantes estariam experimentando e descobrindo um novo contexto de trabalho dramático, isto é, novas maneiras de dirigir, participar, ser protagonista, ego auxiliar ou apenas espectador.

Fui uma das convidadas do projeto e tive a honra de apresentar duas vezes o meu tema. Como relato no capítulo 3, pensei em realizar um encontro teórico (em que usaria *slides*) e vivencial, para o qual proporia uma dramatização *online* que abordasse o momento vigente (que considerei "surrealista") e promovesse uma ponte com o psicodrama.

As *lives*, infelizmente, não puderam ser gravadas, e os trabalhos ficaram apenas na memória de cada participante.

Isso reverberou em minha mente. Eu achava uma lástima que as experiências apresentadas não pudessem ser mostradas a possíveis interessados. Foi então que me surgiu a ideia de criar um livro com as *lives* vivenciadas. Não perdi tempo: imediatamente convidei minha querida amiga Adelsa Cunha, diretora executiva naquela ocasião, para levar adiante esse projeto. Ela aceitou o desafio, e a Editora Ágora, por meio de sua editora, Soraia Bini Cury – a quem agradecemos imensamente pela gentileza –, se propôs a colocá-lo em prática.

Embora o livro represente, para Moreno (1975, p. 158), "o arquétipo de todas as conservas culturais", ele mesmo enfatiza que elas são "uma mistura bem-sucedida de material espontâneo e criador, moldado numa forma permanente" (*ibidem*, p. 159). Logo, é muito bom ver essa "mistura bem-sucedida" pronta para a leitura.

O filósofo Ludwig Wittgenstein (1999, p. 26) disse: "Não desejaria, com minha obra, poupar aos outros o trabalho de pensar, mas sim, se for possível, estimular alguém a pensar por si próprio". É isso que almejamos com os nossos escritos: que cada leitor e leitora desfrute dos textos, sinta-se impelido(a) a compartilhar pensamentos, ideias e críticas e se proponha a recriar as experiências narradas.

Agradecemos, Adelsa e eu, aos autores por terem aceitado participar do livro. A presença de vocês, queridos colegas psicodramatistas, engrandece o conteúdo desta obra e comprova que as *lives* psicodramáticas representam, atualmente, um caminho novo e instigante de dramatização.

REFERÊNCIAS

Moreno, J. L. *Psicodrama*. São Paulo: Cultrix, 1975.

______. *O teatro da espontaneidade*. São Paulo: Ágora/Daimon, 2012.

Moreno, Z.; Blomkvist, L. D.; Rützel, T. *A realidade suplementar e a arte de curar*. São Paulo: Ágora, 2001.

Wittgenstein, L. *Investigações filosóficas*. São Paulo: Nova Cultural, 1999 (Coleção Os Pensadores).

Apresentação

Adelsa Cunha

Chegar aos 50 anos é sempre um marco na história de vida de uma pessoa, que dirá de uma instituição associativa e sem fins lucrativos que tem como principal objetivo a divulgação do psicodrama. Foi com essa motivação que, no final de 2019, eu, então presidente da Sociedade de Psicodrama de São Paulo (SOPSP), juntamente com minha diretoria executiva, composta por Maria Célia Malaquias, Maria Angélica Sugai, Ana Carolina Schimdt e Cleide Braga, encaramos o desafio de uma reeleição para o biênio 2020-2021, animadas com a perspectiva de comemorar o cinquentenário de nossa querida SOPSP. Tínhamos inúmeras ideias para celebrar a história desta que foi uma das primeiras escolas de formação em Psicodrama do Brasil, fundada em 15 de dezembro de 1970, no Anfiteatro de Anatomia Patológica da Faculdade de Medicina da USP, por 113 pessoas que se reuniram para esse fim. Desde então, sua vocação como escola formadora de profissionais especialistas em Psicodrama se mantém ativa, de modo contínuo, tendo inclusive contribuído para a criação de outras escolas de psicodrama espalhadas em todo o território nacional. Não podemos deixar de mencionar sua importante participação na criação da Federação Brasileira de Psicodrama (Febrap) e seu papel de destaque em congressos nacionais e internacionais.

Mas, para além de sua atuação política, a vocação educacional da SOPSP sempre esteve à frente de sua vida associativa, congregando entre seus sócios, no decurso dessa longa jornada, grandes nomes de teóricos do psicodrama, com uma produção científica invejável e respeitada por psicodramatistas do mundo todo.

Foi a primeira escola de psicodrama a fazer uma parceria com uma universidade – a Pontifícia Universidade Católica de São Paulo (PUC-SP) – e a conseguir um título de especialista em Psicodrama reconhecido pelo Ministério da Educação. Essa parceria, que durou 19 anos, formou mais de uma centena de profissionais e serviu de modelo para outras escolas.

Sempre inovadora, foi uma das primeiras escolas a oferecer cursos de educação continuada para obtenção de titulação de psicodramatista didata e supervisor(a), sempre buscando o aprimoramento, promovendo diversas atividades científicas abertas aos seus associados.

Ademais, atuou junto à comunidade oferecendo atendimento psicoterápico gratuito e realizando trabalhos sociais, pelos quais obteve o título de entidade de utilidade pública municipal da cidade de São Paulo. Destacam-se aqui suas ações junto à comunidade da igreja de Nossa Senhora Achiropita, entre outras. Ainda hoje, os atendimentos sociais continuam acontecendo através do Centro de Atendimento em Psicodrama (Capsi), onde pessoas de baixa renda têm acesso a tratamento psicoterápico individual ou grupal. De igual modo, o Capsi socioeducacional oferece serviços gratuitos ou a baixo custo para pequenas empresas, ONGS e associações comunitárias que necessitem de intervenção sociopsicodramática.

No início de 2000, por ocasião de um evento promovido pela então prefeita da cidade de São Paulo, aconteceu o "Psicodrama da Cidade". Nessa ocasião, a SOPSP, por meio de seus associados, realizou dezenas de psicodramas em diversos pontos da cidade, atendendo a população, junto com outras entidades de psicodrama de São Paulo. Foi um momento memorável, em que foi possível ver a potência de nossa ação junto à sociedade.

Essa vocação de abertura para a comunidade sempre esteve presente em nossa história. Durante a parceria com a PUC-SP, uma vez por mês havia uma atividade aberta ao público em geral, sempre dirigida por um dos nossos associados.

São muitos anos de ações para contar; muitas coisas para comemorar e, por isso mesmo, imaginávamos uma grande comemoração. Não só com uma grande festa, mas também com uma extensa jornada científica que pudesse resgatar toda essa travessia.

Mas era 2020 e a Covid-19 assumiu o protagonismo no mundo. Em fevereiro tínhamos começado, novamente, uma turma de formação em Psicodrama na SOPSP, a primeira após 19 anos de convênio com a universidade. Estávamos animados, mas a pandemia chegou e nos fez rever todos os planos. No início achamos que seria uma pausa de alguns meses. Afinal, isso não poderia durar tanto. Mas durou. Dura até hoje. E gradativamente fomos obrigados a nos adaptar; a usar toda nossa espontaneidade e criatividade para continuar vivendo, dando aulas, continuar os atendimentos. E, aos poucos, fomos nos familiarizando com os recursos que o mundo virtual oferecia. E fomos descobrindo que era possível. As aulas de nossa turma aconteceram virtualmente; os atendimentos em psicoterapia passaram a ser *online*, via Zoom, Google Meet, Skype, entre outros, que se tornaram ferramentas comuns em nosso dia a dia.

E foi assim que surgiu a ideia de nossa comemoração do cinquentenário acontecer através de *lives*. Já que não seria possível nos reunirmos presencialmente, poderíamos estabelecer uma comunicação virtual para discutir temas emergentes e atuais e manter nosso propósito de diálogo, troca e aprofundamento com nossos associados e demais convidados.

O resultado das *lives* foi excelente; suscitou muitas questões, comentários, trocas e, por fim, o desejo de registrar esse evento como parte da comemoração do cinquentenário. Quando a associada Elisabeth Sene-Costa me propôs sua ideia, aceitei na hora e tive a grata surpresa de contar com o apoio dos diretores das *lives*, que também aderiram à proposta.

No total, fizemos 12 *lives* como parte integrante dessa comemoração. Uma delas, a dirigida pela Beth Sene-Costa, teve tanta repercussão que foi realizada duas vezes. A dirigida por Adriane Lobo, Ana Cristina Caldeira, Cintia Sanches e Cleide Braga, com o título "Oh, abre alas que eu quero passar. O original e o criativo revelados pela geração que faz o psicodrama nos anos 2020", infelizmente não foi incluída no livro, pois as colegas optaram por não escrever o capítulo.

E eis que nosso livro se nos apresenta. As organizadoras preferiram organizar os capítulos pelo nome dos autores em ordem alfabética, um critério que nos pareceu mais funcional.

Uma associação de profissionais tem, certamente, uma função nutridora. É preciso se alimentar de novos saberes para manter-se atualizado, e assim começa a nossa travessia.

No capítulo 1, Ana Cristina Benevides Pinto nos convida a participar de "Emoções à mesa na cena psicodramática – Obesidades e pandemia", colocando-nos a importante questão de que comer é também um ato político. Partindo da realidade pandêmica que abalou a todos, faz uma análise de como isso afetou a maneira como cada um de nós se relaciona com a comida, especialmente aqueles que já tinham com o alimento uma relação carregada de emoções. Trazendo a questão para a cena psicodramática da sala de jantar, Ana nos auxilia a entender os comportamentos compulsivos e nos mostra como é possível transformar, com acolhimento amoroso e estimulando respostas criativas e espontâneas, a relação com a comida. Trata-se de uma possibilidade de autocuidado que visa conseguir, como diz a autora, "redimensionar e reformular nosso *modus vivendi* em um constante exercício da espontaneidade criativa, compondo um estilo de vida equilibrado – prazeres e desprazeres –, pondo à mesa da vida a sabedoria de sermos leves de corpo e de alma".

Seguindo nosso percurso, como associação que promove a ciência, não podemos ficar fechados numa única verdade e negar a evolução que, inevitavelmente, ocorre no pensamento humano e, claro, nas ciências sociais. Precisamos estar abertos a conhecer as novas descobertas e novas metodologias e refletir sobre como estas dialogam com nossa prática e nosso conhecimento. Assim, no capítulo 2, Denise Silva Nonoya traz uma consistente contribuição em "Psicodrama e constelação familiar – Conciliando saberes antes que todas as portas se fechem e todas as vozes se calem". O tema é muito atual e provoca inúmeras questões que a autora pretende ajudar a esclarecer, tendo o cuidado de traçar um histórico da origem dos dois métodos – suas diferenças e semelhanças – e nos levando a perceber que os saberes podem se somar, nunca diminuir. Com coragem, Denise nos lembra que o próprio psicodrama foi e é alvo de muitas críticas, por não ser bem conhecido, e que a atuação de alguns profissionais que se apropriam das técnicas sem um conhecimento aprofundado do método acabou por levar muitos a ter resistência ao nosso fazer. De igual modo, a chegada da constelação familiar no Brasil, que aconteceu através do meio jurídico, promoveu uma enxurrada de questionamentos e reforçou a dificuldade em separar o joio do trigo. Daí a importância deste capítulo, no qual, com a isenção de quem conhece bem as duas teorias, a autora nos convida a refletir sobre a necessidade de revermos alguns conceitos e de aceitarmos que cada profissional tem o direito de usar, com seriedade e conhecimento, dos recursos que considera mais eficientes em seu trabalho.

Na história de vida de qualquer pessoa ou instituição existem períodos difíceis, crises, momentos em que não sabemos como prosseguir. Assim também aconteceu com nossa sociedade. Tivemos crises em que nos perguntamos como iríamos sobreviver. Muitas vezes, estupefatos, achávamos que coisas surreais aconteciam. E foi assim que o tema proposto por Beth Sene-Costa, no capítulo 3, "Experiências surrealistas – Pandemia e psicodrama", caiu como uma luva, tanto que acabou sendo apresentado uma segunda vez. Com muita clareza, a autora contextualiza os movimentos do dadaísmo e do surrealismo, levando-nos a perceber o quanto a pandemia lançou a humanidade numa situação surreal. Indo além, nos demonstra que as pragas (pandemias) acompanham a história trazendo muita destruição, mas nos obrigando a grandes mudanças e reflexões. Em seu percurso, nos conduz a perceber que J. L. Moreno, o criador do método do psicodrama, foi, em suas ações, alguém que pode ser considerado um surrealista, posto que transgredia a verdade estabelecida e buscava ir além do real. E, com maestria, nos oferece uma saída, ao colocar que temos uma ferramenta criada pelo próprio Moreno, o axiodrama, que nos possibilita trabalhar na reconstrução não de um novo normal, mas de uma ordem social mais justa, mais igualitária, na qual possamos sobreviver de forma mais digna.

Seguindo em nossa travessia, não podemos deixar de destacar que vivemos o tempo todo imersos num universo social; somos reflexo da cultura na qual estamos inseridos e, mesmo sem termos muita consciência, repetimos erros, discriminações, preconceitos arraigados em nossa realidade histórica. Embora o psicodrama tenha chegado ao Brasil através de Guerreiro Ramos, no Rio de Janeiro, quando ele dirigiu diversos trabalhos no Instituto Nacional do Negro, durante muito tempo eram poucos os negros psicodramatistas e pouco se falava do tema. Lúcio Guilherme Ferracini e Maria Célia Malaquias, no capítulo 4, "Encontros étnico-afetivos – Reflexões sobre branquitude e negritude", trazem luz à questão, que agora é pauta em muitas conversas, mas, como eles mesmos contam, não foi sempre assim. No texto, eles situam o início da discussão sobre a questão racial em apresentações em congressos e, a partir desses trabalhos, explicitam conceitos fundamentais como raça, letramento racial, branquitude e negritude, mostrando-nos o longo caminho ainda a percorrer até que essas marcas sejam afastadas e quanto precisamos estar atentos a essa questão. Ao final, reforçam que os depoimentos dos participantes da *live* só confirmam o enorme sofrimento que ações racistas provocam, exaltando a importância de espaços de fala, trocas e reflexões sobre o tema.

O que seria da vida sem a arte? Um deserto árido. Desde a sua criação, o psicodrama está interligado com o teatro, e um bom psicoterapeuta sabe que inúmeros personagens habitam cada um de nós. Com sua enorme sensibilidade, partindo da entrevista que fiz com ele em nossa *live* sobre o livro então recém-lançado *Nós e nossos personagens – Histórias terapêuticas*, Luiz Contro elabora um interessante texto no capítulo 5, "Entre o palco e a coxia de *Nós e nossos personagens*", levando-nos a passear pela obra de Fernando Pessoa e seus heterônimos, visitando Nietzsche e correlacionando o conceito de espontaneidade de Moreno. Desse modo, convida-nos a compreender que a realidade pode ser lida de diversas maneiras e que a espontaneidade, tão buscada por nós, psicodramatistas, já está presente na poesia de Fernando Pessoa. E, como pesquisadores que somos, enquanto psicoterapeutas, devemos buscar o não conhecido, pois, nas palavras de Contro, "procura-se ajuda quando os caminhos conhecidos já não oferecem respostas para o sofrimento que se tem".

Nem tudo foram flores em nosso percurso. Houve discordâncias, brigas, desavenças. Aliás, na fundação da própria SOPSP já havia acontecido uma divergência no meio psicodramático, que acabou resultando na criação das duas primeiras escolas, a Associação Brasileira de Psicodrama e Sociodrama (ABPS) e a SOPSP. Fazem parte do convívio humano a disputa e a divergência. Mas vivemos um tempo em que discordar provoca sentimentos de muita raiva, de exclusão e, nas redes sociais, os ataques e cancelamentos são intensos. Como conviver com pensamentos diferentes sem nutrir ódio pelos que pensam de outra forma? No capítulo 6, Maher Hassan Musleh nos brinda com o tema "Psicodrama e cultura de paz – A comunicação pacífica como caminho", que nos auxilia a repensar nossas formas de comunicação e nos mostra como, através dos recursos oferecidos pelo psicodrama, podemos nos comunicar melhor, ter relações mais saudáveis e ampliar nosso conhecimento sobre comunicação pacífica, para evitar repetir um modelo que separa as pessoas em grupos e que não permite que escutemos uns aos outros. Defende a ideia de que a comunicação pacífica, associada ao psicodrama e ao EMDR (*Eye Movement Desensitization and Reprocessing*), contribui para a construção de uma cultura de paz na qual possamos aceitar que o outro pense diferente. Isso significa compreender que o outro tem o direito de ser quem é e de pensar o que pensa, e que deve ser respeitado, e não exterminado.

Quando olhamos nossa história de vida, inevitavelmente encontramos alguns momentos que não nos orgulhamos de ter vivido. E o sentimento de vergonha aparece, pois faz parte da realidade humana. A *live* dirigida por Maria Amalia Faller Vitale teve como tema "Família em cena", em que ela compartilhou com os presentes sua rica trajetória no atendimento de famílias. Desse encontro, surgiu o capítulo 7, "Anotações sobre o sentimento da vergonha". A vergonha é um sentimento que afeta a todos e traz sensações corporais que o denunciam. Partindo do questionamento do quanto o tema é atual e necessário nos dias de hoje, a autora nos leva à origem do conceito de vergonha e nos mostra que esse sentimento é também social, posto que se transforma ao longo da história. No desenrolar de seu texto, diferencia vergonha e culpa, mostrando que, embora diferentes, andam, por vezes, associadas. Destaca três aspectos que ganham relevância no momento sociocultural que vivemos: "a vergonha alheia", "o olhar das redes sociais" e o "olhar estrangeiro", nos demonstrando como cada uma dessas formas de vergonha afeta as nossas relações.

Nem sempre estamos preparados para mudanças e, quando ocorrem, é necessário um tempo para nos adaptarmos a elas. Assim aconteceu ao longo de nossa jornada como instituição e, muitas vezes, foi imprescindível desatar nós e buscar o fio da meada. Os terapeutas de crianças e adolescentes, em especial, foram pegos pela pandemia de forma avassaladora e tiveram de usar muita criatividade para enfrentar todas as alterações daí advindas. Maria Luiza

Vieira Santos e Mariângela Pinto da Fonseca Wechsler, no capítulo 8, nos contam da necessidade que surge com a mudança de paradigmas dessa nova forma de atendimento. Usando a ideia "O fio da vida e a vida por um fio – Aprendendo a se reencantar na pandemia", elas nos levam à constatação da enorme mudança ocorrida no *setting* terapêutico com a introdução do atendimento *online*, compelindo todos – terapeutas, pacientes e famílias – a reverem seus modos de se relacionar. E testa-nos a buscar encontros télicos através de recursos virtuais, acreditando que a espontaneidade e a criatividade são possíveis, ainda que mediadas pela tela de um computador. Mais que tudo: é importante acreditar e se reencantar com as novas possibilidades, que permitem outras formas de encontro, não menos efetivos que os presenciais.

Nem sempre profissionais que não fossem médicos ou psicólogos tiveram o mesmo espaço no movimento psicodramático. Foi um longo trabalho até que se chegasse ao momento atual, em que o título de psicodramatista pode ser concedido tanto na abordagem psicoterápica quanto na socioeducacional, reconhecendo que profissionais de diversas áreas que trabalham com grupos também podem obter o título e que todos somos socionomistas. Um dos principais nomes na elaboração e normatização desses avanços é Marília Josefina Marino, que no capítulo 9, "Educação e sociopsicodrama – Diferentes contextos", conta-nos sua brilhante trajetória como pedagoga e socionomista e nos ajuda a compreender de forma clara a diferença entre as duas esferas de atuação. Lembrando-nos que o homem é um ser em relação e que a educação é que humaniza a todos nós, vai nos levando à percepção de que essa educação acontece tanto de maneira informal quanto formal e que aprendemos o tempo todo; que estamos sempre inseridos numa cultura e, portanto, num grupo. Esclarece o porquê de usar o termo sociopsicodrama, destacando que a grande questão é o foco do trabalho a ser realizado a partir do contrato feito.

Em todos os nossos cursos, a prática supervisionada foi uma grande preocupação. A fundamentação teórica é muito importante, mas praticar, colocar a mão na massa e aprender a fazer é parte da construção do papel de diretor de psicodrama. E Rosa Cukier é uma das supervisoras mais procuradas em nosso meio. Ela foi a primeira convidada de nossas *lives* e, no capítulo 10, "Psicodrama bipessoal *online* – Será que dá?", com toda a sua experiência nos proporciona uma verdadeira aula de como é possível fazer um atendimento bipessoal *online*. Ao abordar a questão do contrato a partir do novo cenário das sessões e explorar as possibilidades de recursos cênicos e de alternativas de jogos dramáticos, considerando que cada um (terapeuta e cliente) está em um local, ela conduz o leitor a perceber que, embora haja mudanças, a nossa metodologia continua a mesma e, se conseguimos manter o aquecimento e o foco, o atendimento bipessoal *online* é absolutamente possível.

E chegamos até aqui. Com orgulho, a nossa sociedade virou cinquentona, ainda produzindo, se adaptando às novas condições que a vida tem exigido. Mas e o futuro? Para onde iremos? Com alegria, para o biênio 2021-2022 foi eleita uma nova diretoria composta de ex-alunos, jovens com muita disposição e energia para continuar essa linda travessia. E não é à toa que nosso livro se encerra com o capítulo escrito por Yvette Datner, trazendo o tema "Navegar é preciso... *E la nave va*". Psicodramatista muito experiente no trabalho com grupos, Yvette, partindo de um filme de Fellini, propõe uma vivência interessante de uma viagem que começa numa "cidade" que está no caos e se dirige a um lugar que desejamos. Nesse jogo dramático, conduz o grupo a perceber que não somos meros passageiros, e sim coconstrutores de nossas vidas e de nossa realidade social – e que, portanto, para conseguirmos alcançar a mudança desejada é preciso assumir alguns papéis, lembrando que somente a união de todos permite que o ideal seja atingido. Descrito de forma didática, também oferece ao leitor a oportunidade de aprender um recurso que poderá usar em sua prática profissional.

Esperamos que os leitores possam aproveitar e vivenciar um pouco essa experiência.

1. Emoções à mesa na cena psicodramática – Obesidades e pandemias

Ana Cristina Benevides Pinto

Em março de 2020, subitamente fomos convocados a permanecer em casa. Iniciava-se a pandemia da Covid-19 e não tínhamos a menor ideia do que viria pela frente. Agora, em 2022, ainda não sabemos quais e quantas sequelas ficaram e ficarão.

Diante do inusitado – ainda mais para nós, brasileiros, pouquíssimo acostumados a esse tipo de situação –, temíamos a nossa morte e a morte daqueles que amávamos, tendo ainda de lutar contra e lidar com esse inimigo invisível.

Inexoravelmente, para permanecer em casa por tanto tempo, a grande maioria das pessoas se questionava: e se faltar comida? A mesa, local de aglutinamento e partilha alimentar, memorial e emocional, começava a abrigar os sentimentos e sinais do isolamento físico e social imposto. Para todos ao mesmo tempo, embora em formatos diferentes.

No início da pandemia, aqueles que podiam estocar alimentos o fizeram – em alguns casos, além do necessário, o que aplacou essa vertente da ansiedade. Para os que não tinham condições de fazê-lo, o conceito de insegurança alimentar tornou-se vivência.

Segundo o Inquérito Nacional sobre Insegurança Alimentar no Contexto da Pandemia da Covid-19 no Brasil, realizado pela Rede Brasileira de Pesquisa em Soberania e Segurança Alimentar e Nutricional (Rede Penssan), nos últimos meses de 2020, 19 milhões de brasileiros passaram fome e mais de 50% dos domicílios no país enfrentaram algum grau de insegurança alimentar.

Tempos estranhos tomaram nosso cotidiano, constituindo dados históricos e políticos na vida de cada um e da coletividade. Segundo Merengué (2020, p. 42), "a noção de política existe na medida em que existirem relações". Existe, também, no cotidiano, "onipresente nos gestos e falas que medeiam as relações" (*ibidem*, p. 43).

A estranheza vinha de estarmos vivendo algo sem precedentes e da diversidade de ameaças à vida, em várias vertentes – física, emocional, comunitária, moral, ética e espiritual –, de modo que também passou a frequentar nossas mesas de forma bem indigesta. O que nos leva a perguntar: comer é um ato político?

A partilha da comida é um ritual fundante da vinculação social e de afirmação da identidade de um grupo, além de configurar distintivamente um traço humano: o hábito de comer em companhia do outro.

Por isso, quando vemos a solidão da miséria – como acontece com as pessoas em situação de rua ou com trabalhadores aprisionados à estrutura neoliberal de produção –, compreendemos que ela desemboca em um processo de desumanização ou robotização.

É instigante refletirmos, também, sobre os aspectos socionormativos ligados à alimentação: no caso de compromisso formal, ela fica autolimitada para evitar problemas de etiqueta. No outro polo, quando congrega comparsas de orgia, a liberação é irrestrita. E, na cotidiana ausência de companheiros, surge concretamente o comer solitário; não há, no sentido etimológico, a partilha do pão.

Situação bem diferente é a do comer escondido, quando a emoção prevalece tão abrupta e intensamente que a necessidade de preenchimento descarta qualquer julgo e esconder-se é a maneira mais suportável para lidar com o que parece insano e perturbador. Mesmo que depois reste muita culpa, como veremos.

Voltando ao tema da confluência entre política e alimentação, e fazendo uma aproximação com o tema da obesidade, os dados brasileiros, ainda que não tão atualizados, nos preocupam.

No segundo volume da Pesquisa Nacional de Saúde 2019 (Brasil, 2020), realizada pelo Instituto Brasileiro de Geografia e Estatística (IBGE), a proporção de obesos na população com 20 anos ou mais passou de 12,2% para 26,8% entre 2003 e 2019. Já o excesso de peso atingiu 60,3% da população de 18 anos ou mais, o que corresponde a 96 milhões de pessoas. A pandemia elevou sobremaneira esses números, bem como os índices de desnutrição e miséria, que dobraram a olhos vistos.

A Covid-19 causou também uma pandemia de sedentarismo e obesidade. E, em consequência, a prevalência das comorbidades associadas. Além da falta de atividades físicas, enfrentamos uma maior ingestão de alimentos hipercalóricos e o aumento do nível de estresse oriundo de inúmeros fatores, em especial os ameaçadores da vida.

A morte passou a ser tema frequente nas mesas de jantar, gerando reações desconhecidas e representantes simbólicos para as emoções reveladas – recursos de elaboração do caos, das agonias guardadas internamente. O alimento pode ser o depositário de nossos medos secretos e de nossas fantasias de saúde perfeita.

Constatou-se o aumento da procura por alimentos não perecíveis e industrializados em detrimento de frutas, verduras e legumes. Na classe social mais favorecida, irrompeu o consumo desenfreado via *delivery*, sobretudo por aqueles que estavam trabalhando em casa ao mesmo tempo em que os filhos faziam aulas *online*. Nos segmentos mais pobres, aumentou a ingestão de alimentos com amido, que dão mais saciedade. De modo geral, cresceu exponencialmente o consumo de bebidas alcoólicas.

Pelo exposto até aqui, compreendo que comer é um ato político cada vez mais carente de conscientização, que precisa transcender a superficialidade e aflorar em nossas percepções como cidadãos, psicoterapeutas ou educadores, direcionando nossas ações e narrativas quando consideramos sua interferência nas dimensões intra e interpsíquicas expressas na relação com a comida.

Mirando essas dimensões, percebemos que algumas famílias e pessoas que moram sozinhas resgataram a produção do alimento em casa, ressignificando o sentido de partilha e de comunhão. Para muitos, esse movimento inaugural, mesmo que exigente de esforço, foi descortinador de nuances até então imperceptíveis da relação com a comida. Era como se se sentissem capazes de ocupar um papel nutriz consigo mesmos e com os familiares, assumindo ainda o desafio de se lançar a uma atividade até então desconhecida.

Considerando que refeições feitas em conjunto e cardápios rituais encarnam a estabilidade social, sabe-se que eles geram também uma sensação de reparo à instabilidade sociorrelacional emergente no cenário pandêmico, insuflado por intolerâncias e mal-estar entre grupos virtuais (ou não) de convivência e pela péssima gestão da crise sanitária em nosso país.

Ainda hoje, o alimento é preparado para ser dividido. Trata-se de um precioso ritual de expressão de identidade social e de demonstração de afeto pelos outros. Valeria a pena abster-se do significado tradicional da mesa, aderindo somente às comidas prontas e às refeições solitárias?

Olhando por outro viés, hoje temos maior flexibilidade, um ecletismo alimentar que equivale à possibilidade de livre interação social, evidenciando tratar-se de uma escolha sociométrica.

Que valores permeiam as escolhas – tanto objetivas quanto sociométricas – do tipo de alimento a ser consumido? São tantas as possibilidades que refuto veementemente a ideia de qualquer categorização e reconheço que farei aqui um recorte do que tenho visto e aprendido com a minha experiência.

Vamos agora nos sentar imaginariamente à mesa da sala de jantar para captarmos construtos conceituais que substanciam os manejos clínicos e educacionais da obesidade, ainda mais em tempos pandêmicos.

No som ambiente dessa sala, ouvimos Os Mutantes interpretando a canção “Panis et circencis”, composta por Caetano Veloso e Gilberto Gil em 1968: "Mas as pessoas na sala de jantar/ Essas pessoas da sala de jantar/ [...] São ocupadas em nascer e morrer".

Do que estamos ocupados mesmo, pessoas? Como nos ocupamos, forçosamente, nestes tempos de vazio, de nos dar conta do que acontece ou fazemos acontecer entre o nascer e o morrer? Que sabores, saberes e poderes nos perpassam nesse lócus, a sala ou a mesa de jantar?

Mais do que nunca, acompanhamos as cenas de nossos clientes, vivendo com eles as emoções do contexto social pandêmico e tomando cuidado para não misturar funções.

Particularmente, despertou minha atenção o enfrentamento do objeto de adição dos pacientes obesos, visto que estando em casa o acesso à comida era livre e havia parcas alternativas de distração, considerando-se o confinamento.

O processo literal da alimentação é afetado pelos atributos metafóricos e pelo poder simbólico, gravitando entre o coconsciente e o coinconsciente nas relações familiares. Além disso, dissemina-se para outros vínculos pelo efeito cacho de papéis.

Portanto, a mesa de jantar, recortada na cena psicodramática, amplia a percepção da forma de estar no mundo tendo a comida como viés relacional; ela aparece muitas vezes como companheira para suportar o não saber, o vazio do caos.

Na ação psicodramática, é possível construir o impulso para a criação e a transformação. Este é viabilizado pela realidade suplementar do protagonista, em que ele pode atuar seus personagens internos sofridos.

Vamos em busca de como esses personagens se mantiveram conservados, de como o paciente creditou ao alimento o poder simbólico que se concretiza na mudança de humor associada ao alimento e à falta dele, culminado, na maioria das vezes, no *acting out* mais de dor que de prazer.

No *acting out* do comer compulsivo não existe nada além, ou alternativa melhor de alívio, do que a comida, já que urge preencher o vazio, a despeito de se "saber" que não se deveria fazê-lo comendo.

O uso das aspas é um recurso da escrita para nos fazer pensar e ampliar o conceito de saber nesses momentos compulsivos, já que esse conhecimento é menos intelectivo do que emocional. Emoção e razão ficam muito emaranhadas, gerando culpa, que por sua vez traz sentimentos ou memórias de menos-valia, de incompetência.

Às vezes, decorre dessa experiência interna um cuidado com caráter mais revanchista. Quando apresentado na cena psicodramática, ele nos oferece a oportunidade de aprofundar o sentido de reparo emocional efetivo.

É que, na maioria das vezes, o cuidado revanchista é movido pela raiva, na tentativa de se autoafirmar perante o episódio compulsivo, e tende a durar pouco. Além disso, retroalimenta o ciclo de menos-valia, pois acaba desembocando em novo fracasso, culpa e toda a cadeia da adição.

Movimento semelhante ocorre quando o cuidado decorre do medo ou de alguma ameaça à vida física ou social, como ter uma doença ou ser rechaçado em eventos sociais, sobretudo por não corresponder aos padrões estéticos vigentes. Ou seja, o medo também não gera mudanças consistentes.

Medo e revanche trazem limites pouco perduráveis, ainda mais diante de psicodinâmicas compulsivas – além de elevarem o nível de angústia, na medida em que desaguam em uma autopercepção de vulnerabilidade e instabilidade.

Efetivamente, o que pode trazer maior reparação é o cuidado amoroso, mais genuíno no sentido de essência espontâneo-criativa, que sustente o circuito de mudança até se chegar a um novo *status* relacional com a comida.

Fonseca (2018) diz que o amor passa pela essência/matriz espontâneo-criativa e transforma as relações transferenciais em télicas. Chamar o cuidado de amoroso é juntá-lo ao amor como fator de uma operação iniciada na dimensão intrapsíquica, fator esse capaz de clarear aspectos obscuros dos vínculos residuais que estão em nossa história de vida e constroem nossa subjetividade.

A amorosidade do cuidado é sentida quando tocamos, no sentido simbólico – na verdade, psicodramático –, no elã vital, durante os momentos em que a verdade poética e psicodramática do protagonista é sentida como categoria própria ao seu existir.

Ainda segundo Fonseca (2018), o *self* cósmico ou essência seria, portanto, o espaço virtual que se abre quando, em determinado momento, acontece a expressão espontâneo-criativa.

Estimo que a pandemia nos tenha tornado sensíveis ao existir com mais consciência valorativa. Trata-se, portanto, de uma consciência mais digna de preservação e de delicado zelo pela vida.

Para muitos obesos, é algo inaugural olhar e relacionar-se consigo mesmo sem julgamentos tão severos, autodepreciativos e desrespeitosos com a sua dor. Tal movimento sinaliza uma relação/identificação com a própria história, em que poder falar de amor, praticar atos amorosos consigo mesmo, não seja piegas nem vitimização – dois aspectos comumente temidos e abominados por quem já se sente visto assim pela sociedade em geral.

A partir desse viés, alguns pacientes, durante a pandemia, desenvolveram o hábito de cozinhar para si mesmos, como se fosse um ritual de automaternagem, na conjugação do cuidado amoroso com o enfrentamento do objeto de adição. Passaram a atentar para suas preferências, transcendendo os artigos disparadores de compulsão e concentrando-se nas etapas de confecção do alimento, bem como na variedade de sabores.

Como no transcorrer de uma dramatização, o cenário muda da sala de jantar para a cozinha; esta se transformou num laboratório, gerando possibilidades de experimentação com a percepção sensória e cognitiva de que a diferença entre o veneno e o remédio é a dose. Surgiu também uma pitada de ousadia para romper preconceitos com alimentos saudáveis, supostamente desenxabidos.

Dose, quantidade, volume e frequência são dimensões conceituais com parâmetros emocionais muito intervenientes na psicodinâmica de um obeso. Portanto, familiarizar-se com eles, no âmbito cotidiano, ajuda a correlação simbólico-emocional no contexto psicodramático – e vice-versa.

Ao usarmos o "como se" na cena psicodramática, permeando o caminho de comunicação de conteúdos psíquicos coinconscientes e coconscientes, temos a possibilidade de trazer à tona significados que estabeleçam um novo *status nascendi* relacional com o fenômeno alimento.

Enveredando pelo poder simbólico das figuras primárias nas histórias familiares, percorreremos espaços vivenciais carregados de valores e conceitos veiculados pelas narrativas sociais do protagonista. Narrativas essas, muitas vezes, trazidas do clima de intimidade que a mesa de refeições comporta ao recolher as memórias e os afetos daquele grupo.

Encontramos vínculos constituídos em alguma esfera de confiança, que permitem o estado de compartilhamento, concretizado na divisão do alimento e enramado no desempenho dos papéis familiares e sociais.

Transportando essa vivência para o contexto dramático, o sistema de comunicação se amplia para percebermos o que está velado na relação com o alimento e que o corpo obeso revela.

Há uma intensa coexistência de desejos, sentimentos e ações cujo percurso transferencial desvelará na complexa trama oculta do emergente grupal, como oferta servida de bandeja ao grupo. Só um trocadilho com o tema.

O foco terapêutico persevera na construção de possibilidades de convivência na esfera objetiva, mas que tragam no bojo um novo *status nascendi* relacional com o alimento e com a carga emocional que ele transporta.

Destaco que a obesidade tem sentido único para cada pessoa; tal sentido é constituído pela maneira como o alimento se manteve fundamentado e em lógicas afetivas diversas de conduta.

Muitas vezes, o comer compulsivo retrata uma forma cifrada de devorar o medo, a angústia, a vergonha, os sentimentos de menos-valia e de rejeição. Como uma inaptidão para lidar com as angústias inerentes ao desenvolvimento (nascer, crescer, envelhecer, morrer etc.), mas também com o não saber, o desconhecido, o incontrolável e a culpa.

Remete, também, à impossibilidade de se enxergar internamente, lidar com os limites ou com as consequências de não os respeitar, o que sempre desagua em dor psíquica.

Como esses retratos se manifestam no contexto psicodramático? Por meio da força simbólica da cena nos papéis psicodramáticos e nos *insights* dramáticos, tudo na realidade suplementar, campo de atuação da criatividade.

Na cena psicodramática, o personagem conservado exerce um poder simbólico que o sujeito obeso traz envolto em incógnitas emocionais, as quais compõem as lógicas afetivas de conduta: "Se eu comer o que adoro, vou suportar tantas dores no meio dos plantões. Tenho direito!" Ou: "Preciso comer para aguentar a saudade da minha mãe morta pela pandemia". Ou ainda: "Não posso visitar meus pais por causa da pandemia, mas posso comer os doces de infância, que me aproximam deles".

O percurso para chegar a essas lógicas afetivas de conduta requer aquecimento e manutenção do clima protagônico, pois muitas vezes o contato com o próprio corpo obeso na cena gera respostas conservadas.

Paradoxalmente, esse corpo aprisiona tramas sofridas, que nos levam a prosseguir com muito cuidado, mansidão e confiabilidade em direção às respostas reparatórias, coconstruídas e reveladoras da verdade poética e psicodramática.

A "mesa psicodramática" da cocriação compõe o lugar compartilhado dos dramas comuns e das angústias diante do desconhecido. Lugar da humanização, lugar possível de ser visto e revisto com sentido de existência.

É na mesa psicodramática que o cotidiano esvaziado pode ser iluminado por espaços de vitalidade com aprendizados novos sobre as relações consigo mesmo e com o outro. É na mesa real, cotidiana, que os testes de espontaneidade recrutam os personagens internalizados na cena psicodramática.

A linguagem psicodramática incorporada é um recurso que o paciente é capaz de acionar onde estiver, já que o assédio da comida é constante. Ele pode buscar seus personagens internos para relacionar melhor sua angústia ou desconforto emocional com o fato de que, embora a comida traga alívio, não supre a sua real necessidade.

O subtítulo deste texto, "Obesidades e pandemias", provoca--nos a multiplicar os vértices de compreensão para ações e reparações compatíveis com a complexidade do que estamos vivendo, mesmo que seja impossível contemplar sua extensão.

Deparamos com obesidades físicas, simbólicas e emocionais secundárias aos lutos inacabados, às solidões e aos distanciamentos, que impediram a expressão mais genuína da afetividade humana, sobretudo na cultura brasileira: o toque, o abraço e a troca de carinho.

Também enfrentamos diversas pandemias: do sedentarismo, da fome e da miséria, do adoecimento psíquico, das intolerâncias raciais, religiosas, étnicas e de gênero, das notícias falsas e distorcidas, das comunicações virtuais insólitas e narcísicas, entre tantas que a da Covid-19 deflagrou.

Além de sobreviver à pandemia, precisamos redimensionar e reformular nosso *modus vivendi* em um exercício constante da espontaneidade criativa, compondo um estilo de vida equilibrado – prazeres e desprazeres –, pondo à mesa da vida a sabedoria de sermos leves de corpo e de alma.

REFERÊNCIAS

Brasil. Ministério da Saúde. "Pesquisa do IBGE mostra aumento da obesidade em adultos". 2020. Disponível em: <https://www.gov.br/pt-br/noticias/saude-e-vigilancia-sanitaria/2020/10/pesquisa-do-ibge-mostra-aumento-da-obesidade-entre-adultos>. Acesso em: 7 jan. 2022.

Fonseca, J. *Essência e personalidade – Elementos de psicologia relacional.* São Paulo: Ágora, 2018.

Merengué, D. "Descolonizando o psicodrama: clínica e política". In: Dedomenico, A. M.; Merengué, D. (orgs.). *Por uma vida espontânea e criadora – Psicodrama e política.* São Paulo: Ágora, 2020.

Rede Brasileira de Pesquisa em Soberania e Segurança Alimentar. Inquérito Nacional sobre Insegurança Alimentar no Contexto da Pandemia da Covid-19 no Brasil. Rio de Janeiro: Rede Penssan, 2021. Disponível em: <http://olheparaafome.com.br/VIGISAN_Inseguranca_alimentar.pdf>. Acesso em: 7 jan. 2021.

2. Psicodrama e constelação familiar – Conciliando saberes

Denise Silva Nonoya

INTRODUÇÃO

Ao comemorar 50 anos da Sociedade de Psicodrama de São Paulo (SOPSP), em 2020, e 100 anos do psicodrama, em 2021, nos deparamos com o final de uma era e vivenciamos o luto da vida que conhecíamos até então. Em um cenário de negacionismos científico e histórico, é preciso estar atentos para que as portas da tolerância não se fechem e as vozes não se calem.

Talvez, em nenhum outro momento, à parte do que vivenciamos na atualidade, a espontaneidade moreniana tenha se feito tão necessária. Porém, para além de encontrar respostas novas para situações antigas, precisamos encontrar, quem sabe em antigos ensinamentos, respostas para as novas situações que se apresentam.

Já de longa data, tomada pelas ressonâncias do tempo e inspirada por um Moreno progressista, deparo-me com inquietações que despertam meu interesse e me levam a novas proposições no meu papel de psicodramatista, não só pela possibilidade de compartilhar, de estar junto, como também pelo fato de dialogar com outras tantas abordagens.

Se fizermos um estudo da arte a respeito dos diálogos entre Moreno e outros pensadores, vamos encontrar nomes como Martin Buber, Carl Jung, Jean Piaget, Eric Berne, Lev Vygotsky, Martin Heidegger, Gilles Deleuze, Paulo Freire, entre outros, evidenciando que ser psicodramatista possibilita ultrapassar as conservas culturais, valorizando muito mais a ação que a teorização. O psicodrama torna-se fascinante, por se tratar de uma prática inclusiva e de uma teoria que proporciona interlocuções com outras concepções, mantendo esse olhar mais íntegro e holístico.

A perspectiva desse olhar singular, desprovido de juízos de valor, que acolhe o novo e é estimulado e estimulante ao mesmo tempo, nos permite, a meu ver, traçar paralelos entre o psicodrama de Moreno e a constelação familiar de Bert Hellinger.

Dito isso, fica o convite para montarmos a cena em um campo profícuo: Moreno e Hellinger conversando a respeito de suas concepções e visões de mundo. A pretensão não é a de complementar ou reduzir uma teoria à outra, mas, considerando as diferenças de axiomas, incentivar possíveis diálogos e, quiçá, apaziguar opiniões.

Quais serão as aproximações e os distanciamentos? Será um novo modo de fazer psicodrama? Terapia ou psicoterapia? Afinal de contas, quais as justificativas para tantas polêmicas?

PSICODRAMA E CONSTELAÇÃO FAMILIAR SISTÊMICA

Em algum grau, quando uma dessas duas abordagens é citada em relação de aproximação com a outra, muitas questões ficam sem resposta, ora por falta de maior entendimento sobre uma delas, ora por simples preconceito e receio de sobreposição entre elas. Essa ambiguidade provoca indefinições teóricas e práticas, inibindo uma aproximação maior entre os profissionais de ambas as áreas.

Alguns estudiosos têm se debruçado em busca de uma conciliação entre tais abordagens. Destaco Carnabucci e Anderson (2012), Anderson (2014), Franke (2012, 2016) e Bernués (2020), os quais foram utilizados neste ensaio teórico como eixo norteador nas reflexões.

PSICODRAMA

Jacob Levy Moreno (1889-1974) é considerado um homem à frente de seu tempo pelo seu trabalho com grupos sociais marginais e pelo enfoque inovador na saúde das relações interpessoais. Foi precursor da visão sistêmica no trabalho terapêutico alicerçado em grupos.

Estudiosos da herança de Moreno a consideram uma obra aberta e inacabada. Segundo Marineau (2013), muitos dos conceitos ainda estão por ser estudados e integrados à conjuntura do século 21, afirmando: "Diferentes disciplinas precisam encontrar maneiras de falar e interagir umas com as outras. Sem perder suas identidades, elas precisam reconhecer que nenhuma pode explicar o todo da humanidade" (p. 118). Enfatiza a visão de Moreno dada à ação presente, tempo em que cada pessoa pode reviver e atualizar suas dores emocionais, quando lhe é permitido levar seu drama interno para o palco.

Além do conceito de espontaneidade-criatividade, a abordagem psicodramática é constituída de conceitos como tele, coinconsciente, átomo social e escolha sociométrica, os quais, segundo alguns autores, serviram de inspiração para a constelação.

No Brasil, o psicodrama tem seus primórdios na década de 1940, com Alberto Guerreiro Ramos, do Teatro Experimental do Negro (TEN). No decurso de seu desenvolvimento no país, destacam-se o trabalho do francês Pierre Weil na década de 1950 em Belo Horizonte (MG) e o Congresso Internacional no Masp em São Paulo (SP), em 1970.

A titulação como psicodramatista é regulamentada por normas da Federação Brasileira de Psicodrama (Febrap). Como critério, há exigência de graduação em áreas específicas de acordo com o foco, além de curso de formação em Psicodrama, supervisão de atendimentos e realização, por parte do aluno, de psicoterapia e apresentação de trabalho científico.

CONSTELAÇÃO FAMILIAR SISTÊMICA

Anton Suitbert Hellinger (1925-2019), ou simplesmente Bert Hellinger, nascido na Alemanha, membro de uma ordem de missionários católicos, estudou filosofia, teologia e pedagogia. Viveu e trabalhou no sul da África por 16 anos, convivendo com os zulus. Posteriormente, abandonou o clero e tornou-se psicanalista.

Segundo Ursula Franke (2016), "Hellinger define as constelações como um modo de terapia breve orientada para soluções. Traz à luz, de forma rápida e precisa, as dinâmicas que ligam o cliente de uma forma disfuncional aos seus sistemas de referências" (p. 21).

Na entrevista a Norbert Linz, Hellinger (2007b) tenta refazer a trajetória da construção de seu pensamento e destaca as influências que o marcaram, como a análise do *script* da análise transacional (Eric Berne), a terapia primal (Arthur Janov), a terapia familiar (McClendon e Kadis), as constelações familiares (Thea Schönfelder), a hipnoterapia (Erickson) e as lealdades invisíveis (Boszormenyi-Nagy).

Analistas dos pressupostos de Hellinger descrevem que ele, ao expor suas muitas influências, não menciona a prática de psicodrama. Para Franke (2012, 2016), são inegáveis as influências morenianas no desenvolvimento do trabalho do autor, embora nunca reveladas.

Teorias mais recentes, como a dos campos morfogenéticos, de Rupert Sheldrake, embasam a explicação científica das constelações familiares. Para Franke (2016), Sheldrake retomou o conceito de inconsciente coletivo de Jung acrescentando que, no campo mórfico, esse funcionaria como uma rede, na qual todos do sistema estão interligados com todos, e essa rede se configura como um "campo de memória, no qual nos movimentamos como um rádio, no meio de ondas radiofônicas" (Franke, 2016, p. 39).

Hellinger (2007c) sintetiza a visão de Sheldrake ao identificar um impulso mental para movimentação e mudança do campo, ressaltando que a compreensão precisa ser suficiente para envolver todos os integrantes e mexer com o campo.

Assim, as constelações podem ampliar o movimento de conscientização do individual para o coletivo, e do coletivo para o transpessoal, ideia detalhada nas três consciências: a pessoal, a coletiva (ou de clã) e a universal. Para a tomada de consciência, a principal contribuição de Hellinger foi a identificação das Três Leis que atuam nos sistemas familiares: a do Pertencimento, a da Hierarquia e a do Equilíbrio entre o dar e o receber.

DISSONÂNCIAS ENTRE O DITO E O MAL-DITO

A partir de final da década de 1990 e início dos anos 2000, a constelação familiar sistêmica começou a ser praticada no Brasil e foi rapidamente absorvida em diversas áreas, sendo pioneiro o trabalho no âmbito da justiça. Logo, acredito ser mister entendermos como cada área do conhecimento está se posicionando e utilizando-a no seu fazer de constelações.

A CONSTELAÇÃO COMO PILAR PARA O DIREITO SISTÊMICO

Sami Storch, juiz de direito do Tribunal de Justiça do Estado da Bahia, foi precursor na aplicação desse novo paradigma na interpretação jurídica e autor do termo direito sistêmico. Desde 2004 utiliza as constelações como metodologia na solução de conflitos e em situações que requeiram mediação das partes e/ou conciliação de direitos na Vara de Família e Sucessões, e também no tratamento de questões relativas à infância e juventude ou à área criminal. Storch (2010) reconhece a eficácia do método ao conceber as partes do processo como membros de um mesmo sistema e contribui para uma perspectiva mais humanizada da justiça. A prática é instituída em vários tribunais no Brasil.

A MÍDIA ENTRA EM CENA

O êxito da aplicação da perspectiva sistêmica na justiça trouxe repercussões mais amplas e, com isso, essa abordagem passou a ser difundida pela grande mídia.

Em 15 de maio de 2017, o programa *Fantástico* (Rede Globo, 2017) apresentou como pauta especial as constelações, despertando o interesse do grande público. A TV Brasil (2019) também registrou, em sua programação, a presença das constelações em vários setores da sociedade brasileira. Além da divulgação, as reportagens veiculadas contribuíram para a disseminação de informações conflituosas e acabaram por suscitar mal-entendidos, principalmente por apresentar as constelações familiares de forma sensacionalista e como tratamento para qualquer tipo de sofrimento.

De igual forma, a meu ver, a mídia, ao referir-se às constelações familiares como uma espécie de psicodrama, denota desconhecimento sobre a técnica e vulgariza ambas as abordagens terapêuticas, resultando em paralelismos superficiais, ainda que não o faça intencionalmente. Por essa razão, cabe a nós, psicodramadistas e consteladores, produzir aporte teórico com a finalidade de suprir essa lacuna de desinformação.

QUEM É O PROFISSIONAL CONSTELADOR?

No Brasil, os primeiros consteladores foram treinados pelo próprio Bert Hellinger nos inúmeros *workshops* realizados pelo país. Com a veiculação na mídia, observamos o crescimento e a popularização dos cursos de formação. Como esses cursos não têm requisitos de formação profissional ou acadêmica, atraíram pessoas sem conhecimento ou experiências anteriores, um fato que pode ter levado à prática do método sem critérios.

De outro modo, instituições de nível superior encamparam a ideia, em nível de pós-graduação, concedendo aos participantes o título de especialista reconhecido pelo MEC. A partir da disseminação da metodologia, a academia, nos últimos anos, tem despertado seu interesse para a pesquisa dos resultados, e já é considerável o número de trabalhos científicos, como dissertações de mestrado e teses de doutorado, abordando a temática.

Visando garantir a capacitação dos profissionais, dois projetos de lei tramitam na Câmara dos Deputados, os quais versam sobre critérios de formação e sobre a regulamentação do exercício. São eles: o Projeto de Lei n. 9444/2017 (Brasil, 2017) e o Projeto de Lei n. 4887/2020 (Brasil, 2020).

O PONTO DE VISTA DA SAÚDE

Em 2018, o Ministério da Saúde (MS) incluiu essa modalidade, entre outras dez, na Política Nacional de Práticas Integrativas e Complementares (PNPIC) para o atendimento do Sistema Único de Saúde (SUS) (Brasil, 2018).

Na mesma ocasião, o Conselho Federal de Medicina (CFM, 2018) emitiu nota técnica sobre essa decisão, reforçando a falta de resultados e evidências científicas, não reconhecendo o uso, por parte dos médicos, das práticas elencadas pelo MS.

Enquanto o MS se posicionava favorável às práticas da constelação pelo SUS, setores da sociedade repudiavam a decisão e contestavam o método, considerando-o pseudociência e comparando-o à magia, à possessão coletiva ou à sessão religiosa, entremeadas com normativas paradigmáticas, machistas e reacionárias (Orsi, 2019). Independentemente do exposto, ganha frequência a presença de estudos randomizados, como os reunidos na *National Library of Medicine*[1], fornecendo evidências da eficácia da constelação familiar.

---

1. Ver Weinhold *et al.* (2013) e artigos similares, listados logo a seguir.

A VISÃO DA PSICOLOGIA

Muito tem-se falado e deixado de falar acerca da constelação familiar entre os psicólogos. O assunto, por ser controverso e polarizado, divide a categoria entre aqueles que a adotam e aqueles que a repudiam. Quem a repudia se apoia nos argumentos de falta de critérios científicos, de prática por pessoas mal preparadas e de sugestão de curas milagrosas. Em alguns casos, a prática da constelação por psicólogos tem sido motivo de reclamação junto aos Conselhos Regionais de Psicologia.

Rosane Granzotto, conselheira do Conselho Federal de Psicologia, ressalta: "Como é uma abordagem relativamente nova e tem um caráter ligado à espiritualidade e a questões transgeracionais (de difícil comprovação científica), existe uma certa resistência" (Idoeta, 2018, n.p.). Salienta a necessidade da presença de psicólogos nos locais em que a técnica seja aplicada. Destarte, estudos randomizados contrapõem a dificuldade de entendimento científico.

Com efeito, a participação em uma constelação, a despeito de contribuir para *insights* e melhoria das queixas emocionais, não substitui a psicoterapia. Desse ponto de vista, pode ser terapêutica, mas não psicoterapêutica, uma vez que não preconiza o acolhimento posterior e não tem intenção de focar em processos intrapsíquicos e intersubjetivos.

PSICODRAMA: REPERCUSSÕES E CONSONÂNCIAS

Entre os psicodramatistas, em particular, as constelações familiares são um tema que despertou surpresas e estranhamentos, principalmente pelo fato de o senso comum as comparar com o psicodrama. Muitos, ao assistir uma prática de constelação, costumam relatar uma primeira má impressão, seja pela condução do facilitador, seja pela reação da plateia, vista por eles como devota de um culto religioso ou mesmo com excessiva emocionalidade.

Prova disso, abro parênteses para transcrever algumas narrativas colhidas por mim, quando de minha participação como facilitadora da *live* "Psicodrama e constelação familiar", promovida pela SOPSP em 30 de outubro de 2020, como testemunho de diferentes opiniões.

> "De onde que vem isso? Tem quer ser meio médium, pois parece que 'baixa o santo' ali na hora... e tem um aspecto religioso muito intenso. É isso que traz multidões: uma resposta espiritual para as minhas dores."

> "Diretividade do constelador. Coloca fala na boca dos representantes, me parece uma distância do cuidado que se tem no psicodrama. Não entendo as frases de cura. Passa um trator."

> "O constelador não dirige, mas tem a opinião dele sobre o que sente ou sobre o que deve estar fazendo, o que torna isso ritualístico, sem compreensão intelectual do que se passa."

> "Se você faz psicodrama, precisa conhecer a constelação, porque tem muito a ver. Traz um movimento de mais aproximação. Mas é preciso se despir de tudo isso, exercitar o olhar de principiante."

De alguma forma, na prática da constelação, há alusões ao psicodrama, algo de um *déjà vu,* o que leva a comparações e busca de semelhanças: diretor de psicodrama-constelador; protagonista-constelado; campo-palco (contexto dramático); ego auxiliar-representantes; contexto grupal-plateia; dramatização (cenas)-constelação. Assim, é importante entender que, embora haja esses pontos de afinidade, psicodrama e constelação não são a mesma coisa, pois trata-se de duas abordagens diferentes.

A bibliografia recente nos apresenta possíveis aproximações tanto quanto prováveis distanciamentos, facultando-nos o direito de criar um arcabouço de reflexões que permitam um maior conhecimento sobre as constelações familiares e formas de inserir sua utilização em nossos fazeres, se for o caso.

DESCOBRINDO AS APROXIMAÇÕES

Ursula Franke (2012) destaca os fundamentos da teoria de Moreno na associação do psicodrama com a abordagem das constelações familiares. Para a autora (2016), Moreno foi o pioneiro no uso de pessoas configuradas em um espaço como forma de representar um agrupamento, o que também é encontrado nas constelações.

Carnabucci e Anderson (2012) reconhecem que de ambos os construtos teóricos depreende uma perspectiva fenomenológica, lembrando que em Moreno é fundante a visão fenomenológica existencial, dado que se reconhece o protagonismo de cada pessoa na condução de sua vida em suas múltiplas relações. Ainda, reforçam que em ambas as abordagens o foco está em nossas relações interpessoais, e por isso a maior parte das dificuldades emerge desses relacionamentos. Logo, essas relações podem ser refletidas num espaço, seja palco psicodramático, seja campo sistêmico. Ademais, defendem que as constelações oferecem expansão sobre os conceitos de sociometria, papel, tele e espontaneidade, e esse posicionamento é compartilhado por Bernués (2020).

Aditando à discussão teórica, Hellinger (2007a) não nega seu olhar fenomenológico ao focar no essencial, ao ressaltar a necessidade de se observar os fatos tal como se apresentam e ao suspender o pensamento dialético. O autor frisa que as constelações não estão ligadas a nenhuma escola de pensamento e não têm a pretensão de se constituírem em uma.

Outro ponto de tangência são os assistentes para espelhar relações interpessoais num dado espaço, egos auxiliares no psicodrama e representantes na constelação familiar. A distância espacial entre o protagonista/constelado e os outros significativos de sua vida é outra semelhança encontrada, também com foco na possível revelação dos emaranhados interrelacionais e transgeracionais.

Segundo Carnabucci e Anderson (2012), a semelhança do trabalho de ação de Hellinger com o psicodrama, particularmente na representação do átomo social e na análise das escolhas sociométricas, pressupõe que Hellinger conhecia os fundamentos da teoria moreniana.

Anderson (2014) considera que o átomo social de Jacob Moreno é uma maneira de retratar a imagem perceptiva de um protagonista e suas relações interpessoais relevantes, incluindo as distâncias emocionais em relação ao mesmo. Hellinger, por outro lado, convida o constelado a fazer esse retrato a partir de um critério diferente, não apenas no nível perceptivo, mas também intuitivo.

Confrontando o psicodrama e a constelação familiar sistêmica, podem-se observar aproximações no enfoque teórico-prático, como na visão fenomenológica e no manejo de ambas. Por outro lado, julgo importante analisarmos as diferenças para a elaboração de uma síntese que alargue nosso entendimento.

ESPELHANDO AS DIFERENÇAS

Anderson assevera diferenças ao analisar o átomo social de Moreno e a constelação familiar de Hellinger, "especialmente porque 'família' para Hellinger tem uma conotação mais ampla do que apenas as relações biológicas do indivíduo" (Anderson, 2014, p. 1).

Nessa direção, Bernués (2020) assinala que, enquanto Moreno propõe uma rede de relações na qual os papéis são definidos pelo cliente, figura central na configuração, Hellinger ajusta os membros a partir de uma lista, almejando encontrar o bom lugar de cada um dentro do sistema familiar com base nas ordens do amor e na tomada de maior consciência de clã.

O autor reforça, ainda, o cuidado com a pesquisa das dificuldades intra ou interpessoais para a construção dos papéis e dos vínculos implicados na montagem da cena psicodramática. Para ele, há participação e envolvimento ativos do protagonista, além de se ressaltar as funções do diretor no desenvolvimento da dramatização e do ego auxiliar na inversão de papéis, visando à catarse do paciente.

Já nas constelações, segundo o autor, o foco recai na configuração da trama familiar e sua adequação às leis sistêmicas, sendo os auxiliares chamados de representantes. A partir das ressonâncias (repercussões corporais e emocionais), movimentam-se no espaço físico, no lugar denominado campo. A intuição é derivada do posicionamento dos representantes, e as ressonâncias indicarão as frases de resolução que podem contribuir na tomada de consciência sobre si e seu sistema.

Segundo Hellinger (2007a), as frases não fazem parte de um ritual, mas de algo que está acontecendo no momento, em uma situação específica, e trazem uma sensação de alívio e de descoberta. Já para Anderson (2014), a frase é uma espécie de duplo, a qual, quando dita, "pode ser rejeitada ou corrigida por aquele auxiliar, com base em como se sentiu para dizê-lo" (p. 9).

A constelação termina quando todos encontram um "bom lugar". Não há mais movimentações nem ressonâncias. Há uma nova configuração. Outra imagem, como se fosse uma nova foto. O constelado, nesse caso, observa os representantes e se centra em seus sentimentos. Dessa forma, as emoções contribuem para o apaziguamento de seus conflitos.

Com relação à etapa final do psicodrama, Bernués (2020) declara que essa é o ápice do ato psicodramático, constituída pelo compartilhamento de experiências e de como a vivência do protagonista impactou nos sentimentos comuns de todo o grupo.

ATOS REPARATÓRIOS

Nos últimos anos, cresce o interesse de psicodramatistas pela associação de elementos da constelação em suas práticas, como meio de ampliar a visão do enfoque transgeracional. Tal movimento de aproximação pode ser percebido na presença da temática em eventos da área, vide o 21º Congresso Brasileiro de Psicodrama, realizado em Fortaleza em 2018. Na ocasião, Marilene Queiroz da Silva e Natália Magalhães Aguiar apresentaram a vivência "Psicodrama transgeracional, aproximando Moreno e Hellinger". E no 12º Congresso Iberoamericano, realizado na Costa Rica em 2019, os uruguaios Pablo Haberkorn e María Noé Soler dirigiram o trabalho "Mi lugar en el mundo: un encuentro entre el psicodrama y las constelaciones familiares".

Nessa perspectiva, Anderson (2014) afirma ser possível aos psicodramatistas incorporarem aos seus saberes a visão mais intuitiva de Hellinger na intenção de identificar padrões que se repetem em várias gerações. Para o autor, isso facilitaria o manejo de um evento traumático conhecido, seja da geração atual, seja de gerações anteriores, quando se dificulte o livre fluxo de amor espontâneo de uma geração para outra.

Na junção de saberes, Anne Ancelin Schützenberger (1919-2018), ao integrar ao psicodrama a visão transgeracional, ressalta a elaboração do genossociograma em seus atendimentos. Mais recentemente, Alberto Boarini apresenta o psicodrama interno transgeracional associado ao DMP (*Deep Memory Process*), de Roger Woolger.

Durante a 2ª Conferência Transgeracional Internacional, em São Paulo (2013), destaco o trabalho dos psicodramatistas Manoela Maciel e Mark Wentworth ao apresentarem o conceito de auxiliar incógnito (ou auxiliar cego), descrito como um ego auxiliar mais intuitivo, em razão de que apenas o diretor e o protagonista sabem a quem o ego está vinculado. Segundo os autores, o fato de o ego auxiliar não ser revelado diminui as influências pessoais.

Ao se observar a dinâmica mais atentamente, encontramos, no auxiliar incógnito, características vistas na atuação dos representantes das constelações familiares, uma vez que estes seguem sua intuição e as ressonâncias corporais não realizando o jogo de papéis.

Uma gama de associações e práticas diversas são viáveis e exequíveis quando se reúnem os pressupostos das duas abordagens, sem que, com isso, percam autonomia e identidade.

CONCILIAÇÕES: O TRANSPESSOAL EM MORENO

Segundo Moreno (1993), tempo, espaço, realidade e cosmos são visões fundantes em sua obra, sendo o ser humano um ser cósmico. Além disso, ele afirma que tanto a ciência quanto os métodos experimentais precisam estar de acordo com essa concepção para ser bem-sucedidos.

Muito embora Moreno tenha tocado em aspectos importantes da divindade, da criação e do cosmos, a partir da metade de sua vida abandona essa visão mais transpessoal. Do mesmo modo, no meu entendimento, pouco a pouco, nós, psicodramatistas, enquadramos Moreno nos limites dos consultórios e esquecemos do Moreno dos parques, das ruas e das prisões.

Dentro de uma perspectiva holística, Pierre Weil, já em 1976, publicava *A consciência cósmica*, e em 1979 apresentava o *Cosmodrama*. Tinha como premissa a busca de Moreno para a metamorfose do homem e de suas relações para a transformação do universo.

Jung foi o percursor da pesquisa transgeracional. Suas palavras são emblemáticas ao declarar a obrigação em si de responder às questões que o destino tivesse proposto aos seus antepassados, como se houvesse nas famílias um carma impessoal transmitido como legado de uma geração a outra, afirmando: "A psicoterapia ainda não levou em conta, suficientemente, esta circunstância" (Jung *apud* Crema, 2018, p. 245).

Baseado nessa premissa, Crema (2018), ao apresentar as cartografias da consciência, corrobora com a dimensão do inconsciente sistêmico familiar, o qual contém as memórias do clã e o legado dos antepassados.

Se o transpessoal é tudo aquilo que sobrepuja a pessoa, incluindo-a em todas as dimensões que a compõem (bio, psico, socio e cósmica), e interfere no aqui e agora, então posso aceitar a interface entre o psicodrama e a constelação, na hipótese de aderirmos a experiência transpessoal ao trabalho psicodramático.

Nessa lógica, ao mencionar a dificuldade de acessar sensações ou sentimentos dos integrantes de um determinado grupo, Moreno referiu-se a um modo específico de se relacionar, o qual chamou de interpsique, reforçando a concepção de atuação em conjunto, principalmente quando esses integrantes são "jogados pelo destino social" (Moreno, 1961, n.p.). O conceito de interpsique diz respeito à comunicação que perpassa de maneira atemporal o coinconsciente de grupos de pessoas, passível de justificar as repetições, os segredos e as exclusões inter e transgeracionais.

Entendo que, com esse conceito, Moreno sugere a existência de ligação entre as pessoas, mesmo quando não estão presentes no ato psicodramático. A ideia do ir além do pessoal, ou das experiências interpessoais entre indivíduos ligados pelo destino, evidencia-se em sua fala: "o contato pessoal dos conjuntos íntimos é então substituído pelo contato indireto, transpessoal ou simbólico" (Moreno, 1961, n.p.).

Moreno, inegavelmente, ampliou o entendimento de coincosciente e admitiu as ideias de destino e de experiências compartilhadas, nas quais o contato íntimo é substituído pelo contato indireto, transpessoal e simbólico. Assim, podemos, a partir dessa compreensão, entender a ressonância mórfica como um campo de memórias acessíveis durante o desenrolar das constelações familiares.

CONCLUSÃO

Ao examinarmos a constelação familiar sistêmica, é importante suspender momentaneamente nossos julgamentos.

Se é verdade que devemos questionar o olhar cartesiano da ciência, enquanto relação de causa e efeito, então é factível entender que o constelador, ao acompanhar o movimento dos representantes, acaba reverberando a ressonância entre eles, assim como a própria ressonância do constelado, resultando em um novo fenômeno terapêutico, o que, dentro da psicologia, pode ser visto como um movimento holístico ou transpessoal mais amplo.

Nesse momento de transição de paradigmas, sugiro que, como psicodramatistas, retomemos nosso olhar de principiantes e, com generosidade, estudemos o fenômeno da constelação familiar para além das polêmicas e críticas.

Neste texto, relembrei o conceito de interpsique na intenção de criar pistas para relacionarmos as conexões transpessoais e transgeracionais de Moreno com as resoluções dos emaranhamentos familiares propostos por Hellinger.

Além de contextualizar e apresentar consonâncias possíveis entre o psicodrama e a constelação, me inspirei no Moreno disruptivo, que ousou contestar os meios científicos e acadêmicos de sua época para abrir caminhos para o novo. Recordemos que o primeiro psicodrama realizado na Viena de 1921, *em busca de uma nova ordem*, rompe com a conserva cultural vigente.

Daí o convite para a ampliação do olhar, a fim de que, sem prejulgamentos, possamos nós, praticantes e seguidores de Moreno, ajustar conceitos e teorias ao contexto da contemporaneidade, sem deixar de ser leais para com ele e empáticos para com Hellinger.

REFERÊNCIAS

Anderson, R. *Intergenerational work and the sociometry of the soul.* Organizado por Donna Little, TEP, 2014. Disponível em: <https://www.thecsc.net/

wp-content/uploads/2014/10/Anderson-R.-Integrational-Work-and-the--Sociometry-of-the-Soul.pdf> Acesso em: 10 out. 2020.

Bernués, C. *Historias que se cuentan en silencio – Constelaciones familiares: teoría, prácticas y efectos*. Barcelona: Plataforma Editorial, 2020.

Brasil. Câmara dos Deputados. *Projeto de Lei n. 9444/2017*, que dispõe sobre a inclusão da constelação sistêmica como um instrumento de mediação entre particulares, a fim de assistir à solução de controvérsias. Brasília: Câmara dos Deputados, 2017. Disponível em: <https://www.camara.leg.br/proposicoesWeb/fichadetramitacao?idProposicao=2167164>. Acesso em: 11 mai. 2021.

______. Câmara dos Deputados. *Projeto de Lei n. 4887/2020*, que regulamenta o exercício da profissão de constelador familiar sistêmico ou terapeuta sistêmico. Brasília: Câmara dos Deputados, 2020. Disponível em: <https://www.camara.leg.br/proposicoesWeb/prop_mostrarintegra?codteor=1935904&filename=PL+4887/2020>. Acesso em: 17 abr. 2021.

______. Ministério da Saúde. "Ministério da Saúde inclui 10 novas práticas integrativas no SUS". 2018. Disponível em: <https://www.gov.br/saude/pt-br/assuntos/noticias/2018/marco/ministerio-da-saude-inclui-10-novas--praticas-integrativas-no-sus>. Acesso em: 17 abr. 2021.

Carnabucci, K.; Anderson, R. *Integrating psychodrama and systemic constellation work – New directions for action methods, mind-body therapies and energy healing*. Londres e Filadélfia: Jessica Kingsley, 2012.

Conselho federal de medicina. "Para CFM, práticas integrativas incorporadas ao SUS não têm fundamento científico". 13 mar. 2021. Disponível em: <https://portal.cfm.org.br/noticias/para-cfm-praticas-integrativas-incorporadas-ao--sus-nao-tem-fundamento-cientifico/> Acesso em: 17 abr. 2021.

Constelação familiar no judiciário. *Fantástico*. Rio de Janeiro: Rede Globo, 15 de maio de 2017. Programa de TV. Disponível em: <https://www.youtube.com/watch?v=95mOeXPIwQQ> Acesso em: 13 abr. 2021.

"Constelação familiar: explicando relacionamentos". *Caminhos da Reportagem*. Brasília: TV Brasil-EBC. Programa de TV. Disponível em: <https://tvbrasil.ebc.com.br/caminhos-da-reportagem/2019/09/constelacao--familiar-explicando-relacionamentos>. Acesso em: 13 abr. 2021.

Crema, R. *O poder do encontro – Origem do cuidado*. São Paulo: Tumiak Produções; Instituto Arapoty; Unipaz, 2018.

Franke, U. *O rio nunca olha para trás*. São Paulo: Conexão Sistêmica, 2012.

______. *Quando fecho os olhos, vejo você – As constelações familiares no individual*. Divinópolis: Atman, 2016.

Hellinger, B. *Constelações familiares – O reconhecimento das ordens do amor.* 6. reimpr. São Paulo: Pensamento-Cultrix, 2007a.

______. "Perguntas a um amigo: entrevista com Norbert Linz.". In: *Ordens do amor – Um guia para o trabalho com constelações familiares.* 3. reimpr. São Paulo: Cultrix, 2007b.

______. *Conflito e paz – Uma resposta.* São Paulo: Pensamento-Cultrix, 2007c.

Idoeta, P. A. "Constelação familiar: técnica terapêutica é usada na Justiça para facilitar acordos e 'propagar cultura de paz'." *BBC Brasil*, 18 mar. 2018. Disponível em: <https://www.bbc.com/portuguese/brasil-43204514> Acesso em: 17 abr. 2021.

Marineau, R. F. "A integração da herança de Moreno." *Revista Brasileira de Psicodrama* [*online*], São Paulo, v. 21, n. 1, p. 113-25, 2013. Disponível em: <http://pepsic.bvsalud.org/scielo.php?script=sci_arttext&pid=S0104-53932013000100009&lng=pt&nrm=iso>. Acesso em: 17 abr. 2021.

Moreno, J. "Interpessoal therapy and co-unconscious states: a progress report in psychodramatic theory". *Group Psychoterapy*, v. 14, n.3-4, p. 234-41, set-dez 1961. ["Terapia interpessoal e estados coinconscientes: um relato do progresso na teoria psicodramática". Tradução livre de Maria Cristina Botta Fonseca para o DPSedes (SP), jul. 2008. Disponível em: <http://www.sedes.org.br/Departamentos/Psicodrama/Terapia%20Interpessoal%20e%20Estados%20Co-Inconscientes.pdf>. Acesso em: 10 out. 2020.]

______. *Psicoterapia de grupo e psicodrama – Introdução à teoria e à prática.* Campinas: Psy, 1993.

Orsi, C. "Constelação familiar: machismo às custas do SUS". *Revista Questão de Ciência.* 20 dez. 2019. Disponível em: <https://www.revistaquestaodeciencia.com.br/artigo/2019/12/20/constelacao-familiar-machismo-e-pseudociencia-custas-do-sus>. Acesso em: 17 abr. 2021.

Storch, Sami. "O que é o direito sistêmico?" *Blog do Sami Storch*, 29 nov. 2010. Disponível em: <https://direitosistemico.wordpress.com/2010/11/29/o-que-e-direito-sistemico>. Acesso em: 13 abr. 2021.

Weinhold, J. *et al.* "Family constellation seminars improve psychological functioning in a general population sample: results of a randomized controlled trial". *J Couns Psychol*, v. 4, n. 60, p. 601-9, 2013. Disponível em: <https://pubmed.ncbi.nlm.nih.gov/23957767/>. Acesso em: 17 abr. 2021.

3. Experiências surrealistas – Pandemia e psicodrama: como sobreviveremos?

Elisabeth Sene-Costa

> Não se tratava tanto do que eu lhes estivesse contando,
> o conto em si, era mais o ato, a atmosfera de mistério,
> o paradoxo, o irreal tornando-se real.
> [...] muitas vezes deslocava-me do pé da árvore
> e sentava-me mais no alto, num galho [...]
> (Moreno, 1984, p. 16)

Fiquei muito feliz e honrada ao ser convidada, em 2020, por Adelsa Cunha, então presidente da diretoria executiva da Sociedade de Psicodrama de São Paulo (SOPSP), para fazer uma *live* em comemoração aos 50 anos da instituição. Era época de pandemia, e, com ela se agravando cada vez mais, achei que não poderia deixar de falar a respeito; afinal, estávamos vivendo uma experiência extremamente *surrealista*! Já que a escolha era livre, juntei pandemia e psicodrama e desenvolvi minhas ideias. Realizei dois encontros com o mesmo título: neles apresentei uma parte teórica, com *slides*, e uma parte vivencial, *online*.

O texto teórico é apresentado em quatro partes:

1. conceitos básicos sobre dadaísmo e surrealismo, para começar a dar sentido à minha ousada proposta;
2. relato de algumas pandemias de cunho surrealista em tempos passados e atuais;
3. criação de uma ponte com o "surrealismo psicodramático";
4. resposta à questão trazida no título, sobre a sobrevivência das pessoas.

DADAÍSMO E SURREALISMO

Antes de mencionar o surrealismo, devo conceituar o dadaísmo. Tratou-se de um movimento artístico e literário, também conhecido como "dadá", criado em Zurique em 1916 pelo poeta Tristan Tzara (1896-1963) e os artistas plásticos Max Ernst (1891-1976), Oskar Kokoschka (1886-1980) e Hans Arp (1886-1966). O movimento tinha como objetivo criar algo que nascesse espontaneamente, com características anárquicas que combatessem o racionalismo do século 19 e detonassem os valores burgueses e artísticos da cultura ocidental da época. A criação autorizava o irracional, assim como é o som produzido pelo bebê quando começa a balbuciar e diz "dadá". Vem daí o nome do movimento, que posteriormente foi transferido para Paris e teve vida curta.

Um ano depois, em 1917, o poeta e escritor Guillaume Apollinaire (1880-1918) criou o termo "surrealismo": aquilo que está para além do real, ultrapassa a compreensão racional e relaciona-se com o imaginário e o absurdo. Mas a fama do surrealismo, como movimento literário e artístico, ficou mesmo para André Breton (1896-1966), escritor francês que, em 1924, escreveu e publicou o primeiro manifesto sobre o movimento, além de editar, com outros surrealistas, entre 1924 e 1929, 12 números da revista *A Revolução Surrealista*. Em 1929, esse grupo de artistas publicou um segundo manifesto.

Portanto, o surrealismo nasceu em Paris, constituindo um movimento de vanguarda em reação ao racionalismo e ao materialismo da sociedade industrial, aos desmandos, ao poder e à repressão vigente naquela época. Tinha por objetivo a busca de uma prática que rechaçava a tradição e valorizava a fantasia, a loucura, a utopia, o instinto, o estranhamento, o absurdo, a imaginação, os sonhos e os desejos. Pregava, inclusive, a renovação dos valores morais, políticos, científicos e filosóficos.

O termo "surreal" se propagou, e até hoje é bastante usado por grande parte das pessoas. É definido como sendo aquilo "que denota estranheza, transgressão da verdade sensível, da razão, ou que pertence ao domínio do sonho, da imaginação, do absurdo; aquilo que se encontra para além do real. [...]" (Houaiss, 2001, p. 2646).

Tomando por base os significados de surreal e surrealismo, seria possível dizer que pandemia e psicodrama apresentam um caráter surrealista? Do meu ponto de vista, sim! E é isso que vou tentar demonstrar a seguir.

PANDEMIAS

No livro *Homo Deus* (2016), Yuval Noah Harari diz que existem três grandes males no mundo, nesta ordem de importância: a fome, a peste (ou pandemia) e as guerras. Destaco aqui, resumidamente, algumas pandemias ocorridas no decorrer dos tempos, considerando-as surrealistas em razão de suas características.

PESTE NEGRA

Ocorreu nos continentes asiático e europeu por volta do ano 1330 e tornou-se, naquela época, a mais famosa das pestes, pelo número de mortes que provocou: cerca de 75 a 200 milhões. O hospedeiro/transmissor era a pulga em ratos roedores, e a bactéria, a *Yersinia pestis*.

VARÍOLA

Provocada pelo vírus *Orthopoxvírus variolae*, estima-se que, ao longo do século 20, a varíola tenha causado 300 a 500 milhões de mortes. Só foi erradicada mundialmente no início da década de 1970, em virtude de uma forte campanha de vacinação em massa.

CÓLERA

Causada pela bactéria *Vibrio cholerae*, teve sua primeira manifestação em 1817, também matando milhares de pessoas. Como a bactéria sofreu diversas mutações, ela ainda pode ser considerada ativa e, de tempos em tempos, contamina certas populações, sobretudo em países subdesenvolvidos.

GRIPE ESPANHOLA

Propagou-se entre janeiro de 1918 e dezembro de 1920. Causada pelo vírus H1N1, em poucos meses infectou meio bilhão de pessoas, matando 35 mil no Brasil e 50 milhões no resto do mundo. Os sintomas da doença eram muito semelhantes aos do vírus atual, o Sars-CoV-2 (coronavírus).

AIDS

Em 1982, cientistas americanos descobriram que pessoas com baixa imunidade estavam morrendo em virtude do denominado vírus da imunodeficiência humana (HIV), que causava a síndrome da imunodeficiência adquirida (sida/aids). Tal vírus é transmitido pela troca de fluidos entre as pessoas, principalmente sangue e sêmen. Estima-se que cerca de 36 milhões de pessoas tenham morrido da síndrome até 2021.

A PANDEMIA DE COVID-19

Há séculos a medicina procura meios de extinguir os vírus que ainda acometem a população. As pesquisas nessa área visam criar vacinas eficazes e mais potentes, mas as pessoas estão cada vez mais vulneráveis às epidemias.

Então, de repente, no final de dezembro de 2019, surgiu na China o vírus Sars-CoV-2, que se mostrou poderoso e incontrolável! Causando a doença infecciosa denominada Covid-19, ele se alastrou pelo planeta e fez que várias pessoas se sentissem, naquele primeiro instante, surpresas, inseguras, tristes, ansiosas, com medo, sem rumo. Boa parte da população teve sérias dificuldades para aceitar o confinamento, abandonar as sucessivas e cansativas informações da TV e a limpeza obsessiva da casa (que, embora necessária, em excesso pode desgastar e prejudicar a saúde mental).

Muitos indivíduos que apresentavam transtornos mentais e estavam estabilizados tiveram novos episódios de sua doença. Além disso, a pandemia serviu como gatilho para o surgimento de quadros mentais naqueles que nunca haviam manifestado sintomas. As estatísticas demonstraram o aumento do suicídio.

Felizmente, muitos estão convivendo com a situação atual da maneira que chamo de benigna, pois desenvolveram a capacidade de "regular" suas emoções (um conceito neuropsicológico[1]).

O vírus infectou milhares de pessoas que apresentaram sintomas leves ou moderados. Em outras, infelizmente, a infecção foi voraz e mortífera, atingindo sobretudo aqueles que apresentavam comorbidades (imunossuprimidos, diabéticos, hipertensos, asmáticos, idosos etc.), os imprudentes (que se recusaram a seguir as medidas sanitárias preconizadas pela ciência) e pessoas que não apresentavam nenhum quadro grave de doença, mas surpreendentemente viram seu caso se agravar durante a internação e acabaram morrendo.

Muitas mortes, muita tristeza e muitas sequelas! Os falecimentos e as sepulturas, em cantos descerrados ou escondidos, enterraram seres anônimos que nem sequer puderam ser velados por seus familiares. Hoje, janeiro de 2022, o Brasil atingiu o trágico número de 627 mil mortes.

O vírus não fez concessões; todas as etnias, classes sociais, gêneros, idades foram atingidas por seus ataques. E, dada a sua vastidão global, ele se tornou uma praga, uma pandemia ultrassurrealista do ponto de vista do absurdo, do estranho.

1. Regulação emocional ou autorregulação emocional é um processo psicodinâmico consciente no qual a pessoa se esforça para controlar seus comportamentos, sentimentos e emoções a fim de atingir um objetivo importante que leve a um resultado favorável (Barros, Goes e Pereira, 2015).

Parecia um pesadelo que transcendia a nossa realidade e a nossa compreensão.

Mas, segundo um dos filósofos da atualidade, "o vírus não sabe de nada [...] porque nem sequer pertence ao domínio do conhecimento. Não se trata de um inimigo tentando nos destruir; ele simplesmente se autorreproduz com um automatismo cego" (Žižek, 2020, p. 115-6).

Mesmo que o vírus "não saiba de nada" ao infectar as pessoas, elas se sentem ceifadas em sua liberdade de ir e vir e confinadas dentro de casa. A vida cotidiana é, na maioria das vezes, opção de cada indivíduo. Ele a controla: boa ou ruim, escolhida ou obrigada, a rotina o acompanha em toda a sua existência. Por mais que não a aprove, e até a condene por não ser "aquilo que gostaria que fosse", em geral, é possível a decisão de mudar alguma coisa. No entanto, quando surge uma pandemia, o comando do seu dia a dia cai por terra e é o vírus que passa a controlar sua vida, com isolamentos, quarentenas, *lockdown*, máscaras, e todos os demais elementos necessários para evitar sua própria contaminação ou a transmissão do vírus a outrem. É a rotina circunscrita, imposta, é a vida surrealista tornada obrigatória.

Os seres humanos apresentam dificuldade em se perceberem frágeis e despreparados diante de tragédias, como essa do coronavírus. Geralmente se consideram poderosos para vencê-las e, muitas vezes, não tomam consciência de que as manifestações dessas forças naturais são suficientemente potentes para dominá-los. Como diz o psicanalista Christian Dunker: "o ser humano é esta noite, *este nada diante da força da natureza*" (Dunker, 2020, p. 13).

Por conta desses argumentos, acredito que grande parte da humanidade tem apresentado medo do futuro, que parece, no mínimo, incerto e misterioso. Novas ameaças, novas catástrofes – além do vírus – surgirão? Aqui no Brasil, esse futuro parece mais duvidoso ainda, pois estamos vivendo, ao mesmo tempo, do meu ponto de vista, três tipos de crise: a crise viral (pandemia), a crise psicossocioeconômica e, desafortunadamente, a séria crise de juízos éticos de valor, que comentarei no final do texto.

PSICODRAMA

Quando o dadaísmo se dissolveu e o surrealismo foi lançado, Moreno tinha 35 anos e residia em Bad Voslau, onde ficou de 1919 a 1925. Ele já era médico e trabalhava como agente de saúde pública. De 1921 a 1925, dirigiu alguns teatros da espontaneidade em Viena, onde residia, e, em 1924, publicou seu livro *Teatro da espontaneidade*.

Em 1925 emigrou para os Estados Unidos, exatamente no período pujante que dava início ao movimento artístico e literário do surrealismo. Estava mais preocupado em sair de Viena, ser médico nos EUA e dar andamento às suas criações. Dois anos após sua chegada, conseguiu o certificado de médico, e o nome do teatro da espontaneidade foi alterado para teatro do improviso, cuja apresentação pública ocorreu pela primeira vez em Nova York, em 1931.

Zerka Moreno (a última esposa de Moreno) conta que essa ideia do teatro do improviso "também foi explorada em 1916 pelo Cabaré Voltaire, do Movimento Dadá de Zurique" (Moreno, Blomkvist e Rützel, 2001, p. 27), embora não tivesse muita ligação com a proposta sociométrica moreniana. Contudo, enfatiza que "o Cabaré Voltaire foi famoso por suas criações impulsivas e espontâneas. Os dadaístas experienciavam o mundo como uma 'loucura racional'" (*ibidem*).

Penso que essa "loucura racional" permeou a vida de Moreno. Sua sede de criação era intensa. Ele queria chamar a atenção, ser alguém extraordinário, criar alguma coisa que surpreendesse e fornecesse "um palco universal sobre o qual todos os seres humanos pudessem, juntos, reconstruir as suas vidas" (Moreno, J. D., 2016, p. 42).

Ele mesmo dizia que "sofria de uma ideia fixa" (Moreno, 1984, p. 15), a qual foi sua fonte de criatividade e guia para novas descobertas. E ele passou a criar:

- as brincadeiras com as crianças nos jardins de Viena no país do faz-de-conta (como a frase salientada na epígrafe);
- os grupos com as prostitutas para emponderá-las do seu papel de cidadãs;
- o teatro da espontaneidade, cujo desejo era produzir uma *revolução no teatro*, eliminando o autor, a peça escrita e a audiência (que seria "sem espectadores") e situando plateia e atores – os criadores – num "palco aberto" (e não mais no palco tradicional);
- o jornal dramatizado ou vivo;
- o teatro terapêutico ou teatro da catarse;
- a religião do encontro e o livro *As palavras do pai*: "Ele não era apenas o intermediário de Deus, mas a voz do Próprio Deus" (Moreno, J. D., 2016, p. 42);
- a experiência do sujeito-protagonista no "como se fosse" a realidade, produzindo uma catarse mental, a qual liberaria não somente as tensões internas do indivíduo, mas também a resolução do conflito (Moreno, 1994, III, p. 112);
- a socionomia, ciência das leis sociais e seus três ramos: a sociodinâmica, a sociometria e a sociatria;
- os ramos da sociatria: axiodrama, sociodrama, psicodrama e psicoterapia de grupo;
- e muitas outras...

Será que essas criações poderiam ser chamadas de surrealistas? Moreno foi um surrealista?

Embora não tenha se manifestado a respeito do surrealismo, foi ele que criou o conceito de "realidade suplementar" (desenvolvido de maneira mais consistente por Zerka), que mostra conformidade com a definição de *surreal*. As falas morenianas a seguir demonstram isso: "O espaço do cenário é uma ampliação da vida além da vida real" (Moreno, 1974, p. 106) e "[...] o psicodrama enriquece o paciente com uma experiência nova e alargada da realidade, uma 'realidade suplementar' pluridimensional [...]" (Moreno, 1974, p. 113). E para Jonathan, seu filho, ela "recria a atualidade em sua totalidade, do possível ao impossível da vida humana [...]" (Moreno, J. D., 2016, p. 43).

Zerka, por outro lado, faz uma ponte entre a realidade suplementar e o surrealismo, salientando que ambos estão, ao mesmo tempo, separados e relacionados. E destaca que os pintores surrealistas "louvavam essa dimensão da existência que vai além da realidade" (Moreno, Blomkvist e Rützel, 2001, p. 28); porém, o surrealismo era puro automatismo psíquico, em que a expressão do artista deveria fugir do controle da razão, viver o universo dos sonhos e, por meio das drogas, compreender o psiquismo.

Essa característica, obviamente, afastava o conceito de surrealismo do pensamento moreniano de espontaneidade, que não somente envolve o outro, como implica uma resposta adequada a uma nova situação, uma reflexão sobre o comportamento humano, além de considerações éticas e morais.

Mas essa diferença, para Zerka, não nega que "Moreno provavelmente seria considerado um surrealista em muitos aspectos. Não podemos fixar os gênios criativos numa moldura. Eles são a sua própria moldura, e seu próprio farol" (Moreno, Blomkvist e Rützel, 2001, p. 78) e ressalta que a *experiência surrealista* do psicodrama é justificada por, pelo menos, algumas características:

- Quando uma pessoa sobe ao palco, as imagens que surgem no aquecimento não são as mesmas posteriormente; sua ação é vivenciada como um "momento de não saber" (*ibidem*, p. 29).
- O psicodrama é também um "teatro do êxtase [...] pois força o indivíduo a sair [...] de seu mundo limitado e dissolve as fronteiras". (*ibidem*, p. 25).
- O indivíduo vive um "um momento de transição [...] caracterizado pelo sentimento de estranhamento e pelo ato de

espera e expectativa. O que era familiar num primeiro momento torna-se agora não-familiar e estranho. A realidade se amplia [...]" (*ibidem*, p. 62).

- "É um mundo sem limites, em que a pessoa fica liberada do mundo real" (*ibidem*, p. 25-26).
- A própria técnica do espelho também é uma experiência surrealista: "A imagem psicodramática do espelho conduz o protagonista a uma dimensão surrealista à qual ele reagirá. Poder-se-ia dizer que ele está agora atuando a partir de uma perspectiva da sombra, e, portanto, olha para si dessa perspectiva" (*ibidem*, p. 76).

Ampliando a visão surrealista do psicodrama, Moreno, ao discutir sobre as diferenças entre o psicodrama e a psicanálise, realça que "o princípio terapêutico fundamental envolvido no psicodrama é, sem dúvida, induzir o paciente a aceitar a desilusão" (Moreno, 2006, p. 318). "O objetivo do tratamento espontâneo não é ficar bem, é ficar doente. O paciente expulsa a doença de si próprio. A magnificação da realidade em drama liberta-o da realidade. É um processo de cura similar à injeção de vacina (*sérum*) da varíola, para combater a irrupção total da doença" (Moreno, 1984, p. 99).

Enfim, com base nessas colocações de Zerka e J. L. Moreno, reafirmo a concepção surrealista do psicodrama e me armo de coragem para discutir sobre a pergunta que se segue.

COMO SOBREVIVEREMOS?

Moreno menciona que o título *Quem sobreviverá?*, escolhido para um de seus livros (de três tomos), relaciona-se com a sobrevivência da criatividade, do universo humano, com a relação entre as pessoas e a relação do homem com os zoômatos ou animais técnicos, que nada mais são do que robôs (Moreno, 2006, p. 417).

Essa preocupação moreniana me estimulou, um dia, a escrever o capítulo "Moreno e o beijo na boca: o destino do ser humano" (Sene-Costa, 2001, p. 139-66), no qual apresentei uma sinopse dos pensamentos morenianos sobre todos esses aspectos da interferência da automação na vida e no destino do ser humano.

Naquela ocasião Moreno não previu alguns inimigos, aparentemente maiores, que poderiam surgir no século 21, como por exemplo, os vírus, causando sérias doenças infecciosas, como a atual Covid-19.

Do meu ponto de vista, deve-se buscar um sentido novo às mudanças impostas pelo vírus; não um "novo normal". Antes da pandemia, não vivíamos um mundo normal. Também era um mundo surrealista, cheio de absurdos, pois todos estavam vivendo aceleradamente a destruição de vidas e a ruína do planeta. No que diz respeito ao Brasil, as desigualdades sociais, a pobreza maximizada, os preconceitos étnico-raciais, misóginos e de gênero, as grandes destruições ecológicas, a educação e cultura abortadas, a classe indígena vilipendiada, o que isso tem de "normal"? Já se vive na anormalidade surrealista há muito tempo!

Com a atual pandemia, os seres humanos passaram a ser "quase" (senão integralmente) anônimos, escondidos atrás de máscaras (obviamente necessárias, diga-se de passagem) e impossibilitados de tocar fisicamente o outro, abraçar, beijar, fazer um carinho. Hoje a comunicação é expressa, em parte, com os olhos (e, a cada dia, deve-se desenvolver mais essa capacidade de "leitura visual" do outro). Por incrível que pareça, a pandemia, para muitos, leva a uma preocupação com o futuro, ajuda a refletir sobre as vidas rotineiras, represadas, e sobre tantas outras coisas. Talvez, para alguns, ela fortaleça os vínculos pessoais; para outros, a ruptura.

Mas pode-se conviver, nessa atual pandemia, de maneira menos conflituosa, com menos pressão mental?

Žižek tenta dar a receita, inicialmente citando Lacan: "busque [...] *identificar-se com seu sintoma* sem nenhuma vergonha; dito de maneira mais simples: busque assumir plenamente todos os pequenos rituais, fórmulas e hábitos particulares que estabilizam sua vida cotidiana. Qualquer coisa que funcione está permitida nessa situação a fim de evitar um colapso mental" (Žižek, 2020, p. 111-2).

Estendendo nosso olhar para o espectro social, aproveito mais ainda as reflexões de Žižek e transcrevo uma pergunta-chave que ele faz: "o que há de errado em nosso sistema atual para sermos pegos despreparados por essa catástrofe, apesar de os cientistas estarem há anos nos alertando sobre ela?" (Žižek, 2020, p. 51).

Latour enfatiza que a crise do coronavírus é "um 'ensaio geral' para a próxima crise que será a mudança climática" (*apud* Žižek, 2020, p. 117). Ele mostra a diferença entre a pandemia do coronavírus e a crise ecológica, acentuando: "Na crise da saúde, pode até ser verdade que os seres humanos como um todo estão 'lutando contra' os vírus [...] A situação inverte-se tragicamente no caso da mudança ecológica: desta vez, o patógeno [...] não é de forma alguma o vírus, é a humanidade!" (*ibidem*, p. 118).

Volto a Moreno, que sempre apresenta respostas perspicazes. Num de seus livros, ele menciona que em momentos de grandes crises a humanidade espera um milagre "para mudar o curso dos acontecimentos" (Moreno, 2006, p. 14).

Concordando com suas palavras, digo que nós, psicodramatistas, não podemos esperar sentados pelo milagre. Devemos, por meio de ações, fazer o milagre acontecer, ou pelo menos tentar acionar o início de um processo "milagroso" ou de profunda mudança.

Moreno ainda enfatiza: "Para avançar na ciência da paz, precisamos de uma extensão da psiquiatria, uma psiquiatria da humanidade, uma 'sociatria' [...]" (*ibidem*, p. 15).

Jonathan comenta que seu pai "levou sua psicoterapia para as ruas, casas, locais de trabalho e cafés" (Moreno, J. D., 2016, p. 43). Nos tempos atuais, o psicodrama tem uma extensão muito maior. Também é realizado em praças, escolas, universidades, teatros, templos, indústrias, aldeias indígenas, instituições e organizações das mais variadas categorias e, provavelmente, em muitos outros locais onde haja cidadãos em busca de um futuro diverso, sustentável, justo e encaminhado para uma cultura da paz.

À vista disso, sem qualquer presunção – porque sei que muitos dos psicodramatistas já disseram coisas semelhantes e fazem trabalhos psicodramáticos muito importantes (a quem parabenizo) –, arrisco-me a responder a questão "como sobreviveremos" acreditando que o psicodrama deverá abrir mais ainda as portas do inusitado, isto é, descobrir novos meios de abordar a população, instigando-a a se aproximar, cada vez mais, do pensamento moreniano: "Um procedimento verdadeiramente terapêutico não pode ter como objetivo menos que a humanidade inteira" (Moreno, 2006, p. 416).

Vamos, então, criar um movimento que também poderia ser denominado "surrealista" e aplicar, de modo urgente e essencial, o saudoso axiodrama, criado por ele em 1918, que é assim definido:

> O axiodrama é uma síntese do psicodrama e da ciência de valores (axiologia); dramatiza as aspirações morais do psiquismo individual e coletivo (justiça, verdade, beleza, bondade, complexos, perfeição, eternidade, paz etc.) (Moreno, 1974, p. 123).

Por conta de todas as implicações bioéticas, filosóficas e políticas que permeiam a vida do ser humano, dou mais ênfase, na atualidade, ao axiodrama. Acredito que uma parte da sociedade brasileira está passando por momentos muito difíceis, dentre eles a ruína ou a extinção dos valores ético-morais. É claro, ou é possível, que sem educação e saúde, uma extensa parte da população, que vive na miséria, longe de uma vida minimamente digna, não tenha contato com esses valores porque sua sobrevivência estará em primeiro plano, independentemente de quais recursos utilize para isso.

Embora esse fator seja uma cruel realidade, meu desejo é que se realizem vivências sobre os valores ético-morais e humanitários, fundamentais à nossa sociedade e civilização. Poderíamos estimular, no palco psicodramático, questões temáticas (seguindo e complementando Moreno), sobre a verdade, a justiça, o amor, a amizade, a bondade, a honestidade, a solidariedade, o senso moral, a esperança, a paz, a espiritualidade (num sentido amplo), e vários outros preceitos. Mas também poderíamos estimular o questionamento saudável sobre os opostos: a raiva, o ódio, a inveja, os ciúmes, a ganância, o autoritarismo, a violência, a corrupção, o negacionismo etc.

Vamos, então, com nosso trabalho social e voluntário, desenvolver nas pessoas uma outra concepção de vida e de conduta ética, conscientizando-as, por exemplo, das diferenças entre bondade e maldade, certo e errado, violência e virtude, irresponsabilidade e responsabilidade etc.

> A situação histórica obriga-nos, portanto, a começar a reconstrução desde o começo de uma forma mais radical e ampla que qualquer pessoa antes de nós no mundo ocidental [...] Ou ele (o ser humano) é também responsável por todo o universo, por todas as formas do ser e por todos os valores, ou sua responsabilidade não significa absolutamente nada. (Moreno, 1974, p. 21).

Vamos sobreviver, vamos reconstruir!

VIVÊNCIA SURREALISTA

Nas duas apresentações, mostrei alguns *slides* com telas de artistas plásticos e livros considerados surrealistas, escolhidos a meu gosto. São eles:

- "A persistência da memória", de Salvador Dalí (1931). Segundo García-Bermejo (1994), o artista define seu trabalho como "um método espontâneo de conhecimento irracional baseado na associação crítico-interpretativa de fenômenos delirantes. Concebe a paranoia como 'exaltação orgulhosa de mim mesmo'" (p. 1).

- "Carnaval do Arlequim", de Joan Miró (1924/25). A conquista surrealista do inconsciente começa a influenciar Miró. Os sonhos se convertem em fonte de inspiração. Ele se interroga: "Como obtive as ideias para meus quadros? De noite eu voltava ao meu estúdio da rua Blomet e dormia, às vezes sem jantar. Via coisas e as anotava em meus cadernos. Via alucinações no teto [...]" (*apud* Mink, 1993, p. 43).
- "Abaporu" (1928), de Tarsila do Amaral. Em tupi, *aba* (homem), *pora* (gente) e *ú*, significando "homem que come gente" (referência ao Movimento Antropofágico).
- "O ovo cósmico" (2000), de Vladimir Kush. O ovo simboliza o sol nascente e o início da vida. Em muitos mitos sobre a criação do mundo, um ovo cósmico é colocado por um pássaro gigante em um oceano. O óvulo se divide em dois, o céu e a terra, enquanto o sol é visto na gema.
- "Curva dominante" (1936), de Wassily Kandinsky. Salienta que sua obra é "uma mistura de cores e formas, cada uma com sua existência separada, mas cada uma misturada em uma vida comum que é chamada de imagem pela força da necessidade interior" (Düchting, 2018, p. 36).
- "A metamorfose" (1915), de Franz Kafka. A novela foi escrita em 1913, porém publicada dois anos depois. Conta a história de um caixeiro-viajante que se transforma numa barata.
- "Macunaíma, o herói sem nenhum caráter" (1928), de Mario de Andrade. Narra o conto folclórico do índio Macunaíma, considerado um herói, ou um anti-herói, extremamente imprevisível, que retrata, entre outros aspectos, os traços negativos de grande parte da população brasileira.

Na primeira vivência, utilizei como aquecimento para a dramatização uma tela denominada "Nova Venécia", de 2020, da artista plástica Léia Ramlow Zanol. Na segunda vivência, apresentei a tela intitulada "Brasil", de 2006, da artista plástica Sônia Menna Barreto.

Na dramatização foram seguidos os seguintes passos:

1. Olhar para a tela e observar todos os seus detalhes.
2. Sentir qual a parte que lhe chama mais a atenção.
3. Escolher um personagem para "adentrar" a tela.
4. Colocar-se em algum ponto da tela.
5. Apresentar-se aos demais personagens.

A partir desse momento, de livre vontade, os personagens foram interagindo e concretizou-se um teatro espontâneo, com trocas, perguntas, diálogos. A diretora fez suas intervenções de maneira sutil, para não interferir no processo espontâneo. Passado o tempo programado, a diretora continuou formulando suas consignas:

6. Dar um nome para a experiência vivida (foram muitos!).
7. Despedir-se do personagem, despindo sua caracterização.
8. Sair da tela.

Em seguida, solicitou-se que quem se sentisse à vontade compartilhasse sua vivência e realizou-se um processamento de todo o trabalho. A diretora agradeceu a todos e despediu-se citando Guimarães Rosa (a quem também considera um escritor surrealista). No seu livro *Grande Sertão: veredas*, ele diz: "Despedir dá febre" (Rosa, 2019, p. 52). E eu me perguntei naquele momento, em voz alta: "Será que estou com febre?"

REFERÊNCIAS

Barros, L.; Goes, A. R.; Pereira, A. L. "Parental self-regulation, emotional regulation and temperament: implications for intervention". *Estudos de Psicologia* [*online*], v. 32, n. 2, 2015.

Düchting, H. *Wassily Kandinsky, 1866-1944 – A revolution in painting*. Köln, Alemanha: Taschen, 2018.

Dunker, C. I. L. Prefácio à edição brasileira. In: ŽIŽEK, S. *Pandemia - Covid-19 e a reinvenção do comunismo.* São Paulo: Boitempo, 2020.

García-Bermejo, J. M. F. *Salvador Dalí.* Barcelona, Espanha: Polígrafa, 1994.

Harari, Y. N. *Homo Deus - Uma breve história do amanhã.* São Paulo: Companhia das Letras, 2016.

Houaiss, A.; Villar, M. S. Dicionário Houaiss da língua portuguesa. Rio de Janeiro: Objetiva, 2001.

Latour, B. "La crise sanitaire incite à se préparer à la mutation climatique". *Le Monde Diplomatique*, 25 mar. 2020. Disponível em: <https://www.lemonde.fr/idees/article/2020/03/25/la-crise-sanitaire-incite-a-se-preparer-a-la-mutation-climatique_6034312_3232.html>. Acesso em: 10 fev. 2022.

Mink, J. *Joan Miró, 1893-1983.* Köln, Alemanha: Taschen, 1993.

Moreno, J. L. *Psicoterapia de grupo e psicodrama.* São Paulo: Mestre Jou, 1974.

______. *O teatro da espontaneidade.* São Paulo: Summus, 1984.

______. *Quem sobreviverá? - Fundamentos da sociometria, psicoterapia de grupo e sociodrama*, v. I. Goiânia: Dimensão, 1992.

______. *Quem sobreviverá? - Fundamentos da sociometria, psicòterapia de grupo e sociodrama*, v. III. Goiânia: Dimensão, 1994.

______. *Psicodrama - Terapia de ação e princípios da prática.* São Paulo: Daimon, 2006.

Moreno, J. D. *Impromptu Man - J. L. Moreno e as origens do psicodrama, da cultura do encontro e das redes sociais.* São Paulo: Febrap, 2016.

Moreno, Z. T.; Blomkvist, L. D.; Rützel, T. *A realidade suplementar e a arte de curar.* São Paulo: Ágora, 2001.

Rosa, J. G. *Grande Sertão: veredas.* São Paulo: Companhia das Letras, 2019.

Sene-Costa, E. M. "Moreno e o beijo na boca: o destino do ser humano". In: Costa, R. P. (org.) *Um homem à frente de seu tempo - O psicodrama de Moreno no século XXI.* São Paulo: Ágora, 2001, p. 139-66.

Žižek, S. *Pandemia - Covid 19 e a reinvenção do comunismo.* São Paulo: Boitempo, 2020.

4. Encontros étnico-afetivos – Reflexões sobre branquitude e negritude

Lúcio Guilherme Ferracini
Maria Célia Malaquias

> Eu quero subir num palco,/ Pintado de branco, preto e vermelho
> Com a cara pintada e o cabelo trançado./ Quero representar minha vida
> Falar de meus pais, de meus amigos,/ Falar de meus irmãos, de meus inimigos.
> Quero contar as histórias [...]/ Quero ostentar minha pele negra,
> Meu nariz chato e arrebitado/ Com meus duros cabelos à mostra
> Com minha sensibilidade à mostra/ Quero escrever do meu jeito
> Falar na minha língua - do meu jeito [...]/ Quero subir num palco [...]
> (Cardoso, 1977, p. 33)

PARA VIVERMOS A REALIDADE retratada na epígrafe deste capítulo, a presença da arte se torna companhia necessária. Nós, Lúcio e Maria Célia, nos conhecemos em rodas espontâneas de café da manhã nos congressos regados a arte musical, nos tempos em que caminhávamos sem maiores preocupações conosco e com os outros. Iniciamos, neste momento, nossas reflexões com o olhar voltado para o momento de pandemia que estamos vivendo e nos questionamos: "Algum dia será como antes?" Por incrível que pareça, é melhor que algumas coisas não sejam. Que possamos ter sensibilidade para diferenciar o que merece ser conservado e o que requer a presença espontâneo-criativa traduzida em relações afetivas télicas, nas quais o cuidado com o eu e o tu, nos encontros, seja o mais importante em nossa existência.

No início de 2020, recebemos o convite de Adelsa Cunha, presidente da Sociedade de Psicodrama de São Paulo (SOPSP) à época, para um diálogo presencial – muito antes de ouvirmos falar em coronavírus, pandemia, quarentena etc.

O convite se referia a um encontro no qual falaríamos sobre o livro *Psicodrama e relações étnico-raciais – Diálogos e reflexões* (Malaquias, 2020), que estava prestes a ser lançado. Um importante trabalho regido por Maria Célia que reuniu vários colegas, a maioria psicodramatistas. Achávamos que tínhamos o controle do tempo, da agenda e da nossa vida, mas a realidade do vírus se impôs e, diante das novas condições pandêmicas, tivemos mais noção de quem éramos e do que poderíamos fazer. Transformamos nosso encontro face a face, olho no olho, em virtual – e fomos surpreendidos.

O encontro aconteceu em 6 de novembro de 2020, por meio da plataforma Zoom, que possibilitou conectar pessoas de diferentes estados e cidades do Brasil, da Europa e da América Latina. Foram diferentes fusos horários conectados no momento presente, no aqui e agora. Éramos mais de 70 pessoas, uma rede sociométrica interligada pelo afeto, pelo interesse no tema.

Adelsa Cunha foi a anfitriã. Fez a abertura ressaltando a importância da realização daquele encontro comemorativo dos 50 anos da SOPSP, saudando também a Associação Brasileira de Psicodrama e Sociodrama (ABPS). Instituições coirmãs que, em 2020, completaram 50 anos de existência, aqui representadas por Lúcio (presidente da ABPS) e Maria Célia (vice-presidente da SOPSP).

É importante destacar que o convite nos foi feito enquanto pessoas físicas; porém, em virtude dos diferentes papéis que ambos desempenhamos em nossas instituições, é impossível que nos desvinculemos delas – até porque nossas histórias pessoais estão permeadas por parte da história dessas sociedades.

Iniciamos compartilhando nossa trajetória de encontros, ocorridos nos congressos de psicodrama. Lúcio nos aqueceu para o tema colocando no palco a caminhada de Maria Célia no psicodrama e seus trabalhos com a temática das relações étnico-raciais. Em cada parada desse caminhar algumas fotos foram compartilhadas. Foi emocionante rever os momentos, os colegas envolvidos. A primeira vez em que trabalhamos juntos, como egos auxiliares de Regina Monteiro, a Réo, no trabalho dirigido por ela no congresso de 2000, "O problema negro-branco - Um protocolo psicodramático" (Moreno, 1975). O primeiro trabalho apresentado por Maria Célia em congresso - em 1999, com os colegas Paulo Amado e Carlos Calvente -, denominado "Psicodrama e a subjetividade palmarina - Da senzala a Palmares". A vivência dirigida por Maria Célia em 2017, em Lisboa, "Etnodrama e abayomis: encontros, descobertas, transformações - Histórias de superações", da qual Lúcio participou. Para nós, esses momentos foram marcos na vida pessoal e profissional.

Atravessamos o Atlântico e nos reencontramos, agora como mulher negra brasileira e homem negro brasileiro, nossas identidades atravessadas pelo legado que se faz presente na história do Brasil: em seus cinco séculos de existência, quase quatro deles foram marcados por um regime oficial de escravização do povo negro.

ESCLARECENDO CONCEITOS

Na etapa seguinte do nosso encontro virtual, apresentamos os conceitos explicitados a seguir.

RAÇA

Ao refletir sobre relações raciais, é necessário pontuar que nos baseamos na concepção de raça na perspectiva de Neusa Santos Souza (1983, p. 20):

> [...] raça, aqui, é entendida como noção ideológica, engendrada como critério social para distribuição de posição na estrutura de classes. Apesar de estar fundamentada em qualidades biológicas, principalmente a cor da pele, raça sempre foi definida no Brasil em termos de atributo compartilhado por um

determinado grupo social, tendo em comum uma mesma graduação social, um mesmo contingente de prestígio e uma mesma bagagem de valores culturais.

LETRAMENTO RACIAL

A antropóloga e pesquisadora americana France Winddance Twine formulou o conceito de *racial literacy*, o qual foi traduzido pela psicóloga e pesquisadora brasileira Lia Vainer Schucman (2012) como "letramento racial". A ideia é que, para que haja uma real desconstrução do racismo nas identidades raciais brancas, é preciso que as pessoas brancas se percebam racializadas e incorporem um conjunto de práticas, baseadas em seis fundamentos:

- Reconhecimento do valor simbólico e material da branquitude, ou seja, reconhecer que a condição de branco lhe confere privilégios.
- Entendimento de que o racismo é um problema atual e não apenas um legado histórico.
- Entendimento de que as identidades raciais são aprendidas, resultando de práticas sociais.
- Uso de uma gramática e de um vocabulário raciais. No Brasil, evitamos chamar o negro de negro, como se isso fosse um xingamento e como se, ao evitar a palavra, pudéssemos esconder o racismo.
- Capacidade de interpretar os códigos e práticas racializados. Isso significa perceber quando algo é expressão do racismo, sem tentar camuflar a situação dizendo que foi um mal-entendido.
- Análise de como o racismo "é mediado por desigualdades de classe, hierarquias de gênero e heteronormatividade" (Twine *apud* Schucman, 2012, p. 104).

BRANQUITUDE

Cunhado por Cida Bento (2002), o termo se refere à identidade racial branca – a branquitude se constrói. É um lugar de privilégios simbólicos, subjetivos, objetivos. Além disso, sempre constitui um lugar de vantagem estrutural do branco em sociedades construídas pelo racismo.

NEGRITUDE

Kabengele Munanga (1986, p. 5) explica que,

> sem a escravidão e a colonização dos povos negros da África, a negritude, essa realidade que tantos estudiosos abordam não chegando a um denominador comum, nem teria nascido. Interpretada ora como formação mitológica, ora como movimento ideológico, seu conceito reúne diversas definições nas áreas cultural, biológica, psicológica, política e outras.

E acrescenta: "Enquanto movimento, a negritude desempenhou historicamente seu papel emancipador" (*ibidem*, p. 7).

No Brasil, houve muita luta e persistência do movimento negro para ressignificar a palavra negro – um investimento importante para o desenvolvimento da autoestima dessa população.

DEPOIMENTOS E TROCAS

Durante todo o evento, mantivemos aberto o *chat* da plataforma virtual para que os participantes se manifestassem. Ao final, abrimos o debate para falas por ordem de inscrição. As manifestações foram intensas, num clima de muita emoção. Depoimentos pungentes descreveram a vivência de situações racistas. Houve o compartilhamento de dor, humilhação e vergonha, e uma afirmação constante ressaltando a importância desse espaço de falas, trocas e reflexões.

CONSIDERAÇÕES FINAIS

Dos encontros étnico-afetivos nasce o desejo de trabalhar em conjunto. Mas tal desejo sobrevém, principalmente, de nossas vivências pessoais nos encontros com o psicodrama e nos trabalhos sobre relações raciais. Temos aprendido muito e buscamos compartilhar esse aprendizado com nossos interlocutores por meio dos diversos papéis que desempenhamos.

Nas palavras de J. L. Moreno (1975, p. 307-308), encontro "significa que duas ou mais pessoas se encontram não só para se defrontarem entre si, mas também para viver e experimentar-se mutuamente, como atores cada um por seu direito próprio, não como um encontro 'profissional' [...] mas um encontro de duas pessoas".

Nós, pessoalmente e como profissionais das áreas da saúde e da educação cientes da complexidade das relações raciais no Brasil – e do sofrimento psíquico que acomete tantas pessoas –, consideramos, na perspectiva do encontro moreniano, possibilidades para se pensar, pesquisar, experimentar e buscar saídas para um novo estado relacional.

> Um encontro de dois: olhos nos olhos, face a face.
> E quando estiveres perto, arrancar-te-ei os olhos
> E colocá-los-ei no lugar dos meus,
> E arrancarei meus olhos
> Para colocá-los no lugar dos teus;
> Então ver-te-ei com os teus olhos
> E tu ver-me-ás com os meus.
> (Moreno, 1975, p. 9)

REFERÊNCIAS

Bento, M. A. S. "Branqueamento e branquitude no Brasil". In: Carone, I.; Bento, M. A. S. (orgs.). *Psicologia social do racismo – Estudos sobre branquitude e branqueamento no Brasil*. Petrópolis: Vozes, 2002.

Cardoso, H. B. "Vontade". *Verus*, São Paulo, n. 12, 1977, p. 33.

Malaquias, M. C.; Amado, P. "Psicodrama e a subjetividade palmarina – Da senzala a Palmares". *Anais do II Congresso Ibero-Americano*, Águas de São Pedro, 1999.

Malaquias, M. C. (org.). *Psicodrama e relações étnico-raciais – Diálogos e reflexões*. São Paulo: Ágora, 2020.

Moreno, J. L. *Psicodrama*. São Paulo: Cultrix, 1975.

Munanga, K. *Negritude – Usos e sentidos*. São Paulo: Ática, 1986.

Souza, N. S. *Tornar-se negro – As vicissitudes da identidade do negro brasileiro em ascensão social*. Rio de Janeiro: Graal, 1983.

Schucman, L. V. *Entre o "encardido", o "branco" e o "branquíssimo" – Raça, hierarquia e poder na construção da branquitude paulistana*. Tese (doutorado em Psicologia), Universidade de São Paulo, São Paulo (SP), 2012.

5. Entre o palco e a coxia de *Nós e nossos personagens*

Luiz Contro

ESTE CAPÍTULO É UM registro da entrevista que tive o prazer de conceder por ocasião de dois eventos simultâneos. No dia 10 de julho de 2020, em plena pandemia da Covid-19, conversamos no modo *online* sobre o lançamento de meu livro *Nós e nossos personagens – Histórias terapêuticas* (2020), dentro das comemorações de aniversário de 50 anos da Sociedade de Psicodrama de São Paulo (SOPSP). Na ocasião, pude compartilhar o nascimento de meu rebento e, ao mesmo tempo, senti-me honrado em participar de um dos rituais de celebração dessa importante sociedade psicodramática brasileira.

Como a entrevista não pôde ser gravada, guio-me pelas perguntas que me foram feitas por Adelsa Cunha naquela noite de sexta-feira. Tento, por meio da escrita, me aproximar do agradável diálogo que mantivemos entre nós e com a plateia participante. Obviamente que, mesmo que tentasse, não conseguiria reproduzir exatamente como se deram as trocas e entendo que, por outro lado, não seria esse o aspecto mais significativo a ressaltar; meu objetivo aqui é transportar o leitor para os principais conteúdos então abordados. Além disso, depois de quase dois anos do evento, neste instante em que escrevo é inevitável e desejável que essas minhas palavras se deixem levar por novas reflexões.[1]

---

1. No dia 10 de julho de 2020, o Brasil contabilizava 70 mil mortos e mais de 1,8 milhão de infectados. Até 11 de janeiro de 2022, mais de 620 mil brasileiros faleceram e o número de contaminados supera os 22,5 milhões. Solidarizo-me com todas essas famílias e amigos, principalmente com aqueles cujo sofrimento poderia ter sido evitado.

Isso posto, mergulhemos em nosso breve passeio pelas coxias e pelo palco do livro.

O PALMILHAR DA TRAJETÓRIA

Retomo no livro de 2020 o hábito e o prazer de contar histórias que me acompanham desde criança. Mas, sem que muito me estenda, volto apenas para 2009. No começo daquele ano, defendi minha tese de doutorado e comecei a pensar por onde trilharia meus novos estudos. O fato de ter percorrido toda a trajetória da especialização psicodramática e depois me lançado no mestrado e doutorado foi avaliado por mim como travessia importante, pois me ajudou a criar mais intimidade com o escrever.

De outro lado, acendeu-se em mim o desejo de uma escrita menos hermética, mais solta, menos acadêmica, mais artística e literária. Meu penúltimo livro, *Por dentro das equipes* (2014), olhando agora pelo retrovisor, foi uma transição para isso. Embora ele ainda trouxesse um capítulo referente à tese, eu – como bem observou Valéria Brito no prefácio – já estava ali contando histórias. Histórias com equipes em instituições e organizações, mas ainda dialogando com o público da área, ou seja, explicitando teoria e técnica nas intervenções feitas. Já em *Nós e nossos personagens* surgiu com mais ênfase o contador de histórias.

Depois da tese, comecei a frequentar encontros e oficinas literárias. Passei a escrever poesias num blogue coletivo. Os textos que li, durante bom tempo, foram quase só de literatura. E, como nunca somos atravessados por uma única força, também continuava ecoando em mim a fala de Freud de que na literatura de qualidade temos boas representações da alma humana. Já Nise da Silveira teria dito que aprendia mais com Machado de Assis e Dostoiévski que com Freud e Jung.

Entretanto, é sabido que, quando desenvolvemos certo tipo de lente com a qual miramos nosso entorno e a nós mesmos, inevitavelmente enxergamos muito pela perspectiva que ela assinala. De modo incontornável passei a perceber conexões de trechos literários com o psicodrama. Comecei a identificar na literatura alguns conceitos que nos são caros, mas não de nossa única propriedade. Afinal, quando teorizamos, tentamos dar certa concretude, oferecer modelos para fenômenos que são humanos e que outras escolas ou áreas de conhecimento vão configurar a seu modo. Como o faz a literatura.

Foi assim que cheguei à heteronímia de Fernando Pessoa. É notória a diversidade de personagens autores que o escritor criou. Trata-se de nossos muito lados, vivenciados ou imaginados. O paralelo com pressupostos psicodramáticos é evidente. Registro no livro e em artigo anterior a ele ("O psicodrama e o equilibrista – Diálogos com a obra de Pessoa", 2018b) muitas passagens nas quais Pessoa se considerava poeta dramático. E o sentido de drama, aqui, é o mesmo que fundamenta nosso método – aquele oriundo dos gregos pré-socráticos, surgido antes das dicotomias corpo-mente e bem-mal, entre outras instaladas pelo pensamento de Platão e pelo racionalismo de Sócrates. Antecedendo a eles, a filosofia grega abordava o mundo e o expressava nos termos de sua complexidade inerente. A denominação de drama, portanto, trazia embutida a noção de ação ao mesmo tempo passada e presente. Daí a integração entre passado, presente e futuro, quando estruturamos a realidade suplementar no nosso método. Em Pessoa, seus personagens autores produzem poemas e prosas que por vezes abraçam um mesmo assunto por perspectivas diferentes, contemplando pela expressão literária esse pressuposto da simultaneidade complexa que habita a vida. Como exemplo, nesse meu livro o tema "espelho" foi abordado por cinco de seus heterônimos.

Essa concepção trágica que lê o mundo pela pluralidade de forças que o constituem levou-me a Nietzsche. Aos 25 anos e ainda filólogo, ele escreveu seu primeiro livro, cujo título já anuncia interesse pelo tema e a oferta que fez para o seu desenvolvimento:

O nascimento da tragédia (2007). As críticas quanto às dualidades limitantes se originaram nessas páginas. A partir disso, minha prática ganhou novas singularidades que foram partilhadas no artigo "Conversas de um psicodramatista com Nietzsche" (2018a). O passo seguinte foi decorrência natural dessa caminhada. Poeta e filósofo se retroalimentam e me instigam, de modo que minha lente passou a sugerir reflexões e práticas que originaram esse livro de 2020.

CONVERSAS ENTRE O POETA E O FILÓSOFO NA CASA DO PSICODRAMA

A visão trágica de mundo e sujeito orienta algumas das produções de heterônimos do poeta, principalmente Álvaro de Campos, e praticamente toda a produção do filósofo. O perspectivismo de Nietzsche, por exemplo, possibilita que abordemos os fenômenos com os quais nos deparamos por diferentes ângulos, inclusive os contraditórios. Estabelece o reino do paradoxo, pois assim a vida é e somos nós em nossas relações. Suspende a valoração dada sobretudo pelo cristianismo ao transformar bom em bem e ruim em mal na genealogia que o filósofo também empreendeu para conhecer o nascimento da moral. Com isso, o psicodramatista é estimulado a cultivar um olhar crítico, atento aos não julgamentos – e, na sua relação com o outro, com quem busca a criação de alternativas, a ajudá-lo a perceber que muitas vezes não se sofre por um acontecimento em si, mas pela interpretação que a ele se dá.

Por sua vez, a ideia de eterno retorno trazida pelo filósofo – em sua vertente simbólica dada pelo aforismo 341 de *A gaia ciência* (2012)[2] – torna-se estimulante instrumento ao evocar um estado avaliativo nas pessoas com as quais trabalhamos, instigando-as a

2. Nesse aforismo, intitulado "O maior dos pesos", o filósofo faz a seguinte provocação: se um demônio surgisse e afirmasse que a vida de alguém nos moldes como está hoje se repetiria eternamente, desejaria essa pessoa que ela assim sempre retornasse?

atualizar ou realizar novas escolhas mais norteadas por vontade de potência e *amor fati* – amor aos fatos, à vida como é.

Pois com o poeta não se dá menos intensidade. Escritos de seus heterônimos enriquecem a percepção de emoções e reflexões, bem como revigoram a produção de personagens com os quais trabalhamos.

Nesse diálogo entre os dois na casa do psicodrama, o tema da convergência e das dissonâncias entre os pressupostos da espontaneidade e a vontade de potência também tem vez. Interpenetram-se: espontaneidade, do latim *sponte*, significa "de livre vontade". Vontade é o termo comum. Enquanto forças propulsoras, convergem. De outro lado, o termo psicodramático se mostra mais complexo ao inserir-se num projeto dramático, campo do relacional que pressupõe critérios de escolha e papéis em função de objetivo comum. Parece-me, por isso, dionisíaco e apolíneo, guiando-nos por protótipos nietzschianos. Na concepção de vontade de potência prepondera o dionisíaco e pensa-se em termos de indivíduo, ao menos até o ponto em que o filósofo concebeu a ideia, influenciado por Schopenhauer. Assim, espontaneidade contempla instintos, mas não só. Abarca uma apreciação mais multifacetada de uma nova conjuntura, ao se tentar obter posicionamentos de liberdade.

E, como nessa conversa o poeta não merece estar de fora, José Gil, filósofo e ensaísta português, o interpreta e vai dizer que toda a poesia de Pessoa visa a espontaneidade e a singularidade absolutas. Especificamente sobre Alberto Caeiro, afirma que não obedece a nenhum cânone, a nenhuma convenção poética, e que a espontaneidade da sua voz não tem limites.

A ESCRITA PARA UM PÚBLICO NÃO SÓ DE PSICODRAMATISTAS

Tenho carregado um bom receio de que a produção de conhecimento muitas vezes seja restrita a uma pequena bolha e a seus residentes. Avaliei como injusto que as histórias ali vividas e contadas permanecessem nessa espécie de gueto no qual o psicodrama e outros arcabouços muitas vezes se transformam. Entendo e concordo que também se faz necessário o desenvolvimento e aprimoramento técnico e teórico e que, para isso, é importante o diálogo com os iguais na linguagem que lhes é própria. Tendo me guiado por isso noutras produções, nessa me lancei ao seguinte desafio: democratizar o conhecimento por meio de escrita menos acadêmica, tentando não cair num senso comum raso. Ao mesmo tempo, a ideia era dessacralizar autores que podem ser considerados clássicos e inacessíveis.

Confesso que esse desafio não foi fácil. A tentação de dizer os porquês teóricos e técnicos referentes a determinadas intervenções foi grande. Escrita viciada. Em certas partes até o fiz, mas me preocupei em transitar por caminho ambíguo no qual, simultaneamente, traduzi, mas também provoquei o leitor para que se movimentasse na busca de compreender por seus próprios meios. Com os retornos que tive até o momento, parece que consegui.

QUEM LIDA COM O TERAPÊUTICO É SEMPRE PESQUISADOR

Da mesma forma que a escrita pretendeu não ser acadêmica, a ideia de pesquisador também aqui sofreu tentativa de dessacralização. Pesquisamos o tempo todo quando trabalhamos com pessoas. Seja mirando um sintoma, um sofrimento, uma palavra, um conflito, um pedido, uma matriz, uma dinâmica relacional ou um vínculo, sempre estamos pesquisando. Esse nosso papel de quase detetives dos sujeitos e seus universos me é fascinante, e tentei transmitir no meu livro um tanto dessa minha paixão por ele. Tanto na literatura quanto no processo terapêutico, busca-se o não conhecido, outras perspectivas. O conto que já se sabe onde vai dar pouco acrescenta. Procura-se ajuda quando os caminhos conhecidos já não oferecem respostas para o sofrimento que se tem.

A REAÇÃO DAS PESSOAS QUE VIRAM O RELATO DE SUAS HISTÓRIAS NO LIVRO

Foram as melhores possíveis. Obviamente que, a partir do processo da escrita, pude explorar com mais vagar o registro dos relatos das sessões, com mais tempo para reflexão e estudo. Daí que a compreensão do que havia acontecido nas sessões amplificou-se, ganhou mais cores, novos olhares, complementações de falas de Nietzsche, Pessoa, Proust, Guimarães Rosa. E quem não gosta de ser acompanhado por esses autores? Outros, há mais tempo sem contato, pois já encerraram seus processos comigo, comentaram que é como se houvessem repassado um filme e que foi bom assisti-lo novamente, agora noutro momento.

PALAVRAS FINAIS

O método é importante, mas a arte e a filosofia ajudam-me a ter paixão pela função terapêutica, a tentar que minha escuta e ação na construção dos processos contribua para que as histórias se desenhem às vezes como poema, conto, romance ou boa prosa. Algumas mais bem escritas que outras, mas sempre fundamentais.

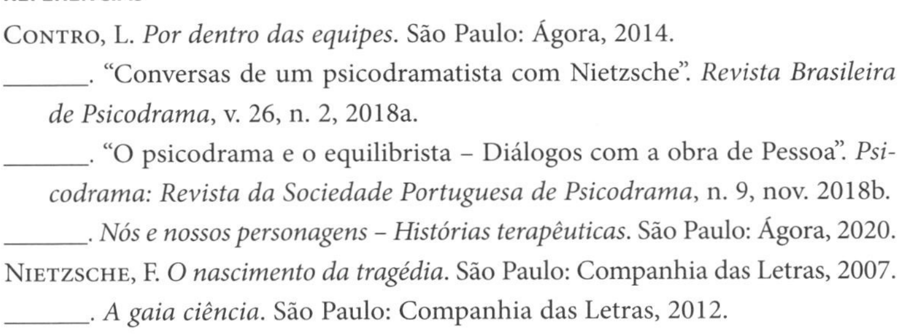

REFERÊNCIAS

Contro, L. *Por dentro das equipes*. São Paulo: Ágora, 2014.

______. "Conversas de um psicodramatista com Nietzsche". *Revista Brasileira de Psicodrama*, v. 26, n. 2, 2018a.

______. "O psicodrama e o equilibrista – Diálogos com a obra de Pessoa". *Psicodrama: Revista da Sociedade Portuguesa de Psicodrama*, n. 9, nov. 2018b.

______. *Nós e nossos personagens – Histórias terapêuticas*. São Paulo: Ágora, 2020.

Nietzsche, F. *O nascimento da tragédia*. São Paulo: Companhia das Letras, 2007.

______. *A gaia ciência*. São Paulo: Companhia das Letras, 2012.

6. Psicodrama e cultura de paz – A comunicação pacífica como caminho

Maher Hassan Musleh

O QUE HÁ EM comum entre psicodrama, cultura de paz e comunicação pacífica? Como interligar esses temas? Será possível transformar toda e qualquer comunicação em uma comunicação de paz? Essas são algumas das perguntas suscitadas no encontro "Se somos espontâneos e criativos, como podemos ser pacíficos?", realizado virtualmente na Sociedade de Psicodrama de São Paulo (SOPSP). O encontro nos permitiu refletir sobre até que ponto somos violentos na comunicação e intransigentes e agressivos na defesa do nosso ponto de vista. Para responder a tais perguntas, é preciso navegar por diversas reflexões que abrangem nossas relações pessoais e interpessoais.

O psicodrama é de grande ajuda para nos orientar e mostrar como nos relacionamos – seja com outro indivíduo, com grupos de pessoas ou até conosco mesmos –, pois nos possibilita refletir sobre a perspectiva de diversos agrupamentos sociais, como grupos familiares, de trabalho, de amigos, institucionais, étnicos etc. Por meio da experiência proporcionada pelo psicodrama, é possível atentar para a maneira como nos relacionamos a partir do uso que fazemos da comunicação.

A maneira como falamos e nos expressamos condiz com a mensagem que pretendemos passar? A forma como colocamos nossos pensamentos em um discurso, por exemplo, está livre de julgamentos e interpretações? Como usar a comunicação pacífica nos relacionamentos? Tais questionamentos só podem ser respondidos quando nos conhecemos internamente, capacidade que o psicodrama nos ajuda a exercitar. Através dessa ferramenta, temos a oportunidade de, ora individualmente, ora em grupo, sendo plateia ou protagonista, sendo ator ou diretor, vivenciar diversos aspectos e realidades do dia a dia – que constroem nosso aprendizado sobre o mundo ao nosso redor – e, simultaneamente, conhecer nossas particularidades de forma mais íntima, através de situações sociais que nos colocam em uma espécie de "experimento humano" de sensações, emoções e sentimentos.

Ao longo do nosso desenvolvimento, passamos por três importantes revoluções que definiram ou redefiniram o curso da humanidade e da história: a revolução cognitiva, que deu início à História, por volta de 70 mil anos atrás; a revolução agrícola, ocorrida há cerca de 12 mil anos; e a revolução científica, iniciada há apenas 500 anos, mas com potencial para reconfigurar tudo que conhecíamos como humanos e sociedade, criando algo completamente diferente.

Todavia, algo sempre nos acompanhou – e ainda nos acompanha – em nossa evolução: os conflitos, as lutas, as guerras. Cada uma das revoluções citadas nos fez dar saltos imensuráveis como sociedade e seres pensantes, mas a violência continuou fazendo parte de nosso cotidiano. Observando esse fenômeno, podemos dizer que algo se perdeu no caminho. Ao pensar que as guerras sempre existiram, percebemos que, de certa forma, a violência está em nossa alma e matriz, e talvez até mesmo em nossa psique. Por que isso acontece? Por que, apesar de nossa evolução, a violência não nos deixou – ou nós não a deixamos?

A obra de Moreno nos convida a subir ao palco e ali replicar a vida como ela é, expondo-a através do jogo de papéis. Pela experiência do psicodrama, é possível vivenciar diferentes possibilidades, as quais podem envolver a violência que nos cerca diariamente ou aquela que atinge diferentes grupos sociais. Quando trocamos de papel com o outro, acessamos novas perspectivas. Através desse exercício, abrimos os olhos para coisas que, talvez, jamais teríamos notado não fosse pela experiência ali vivida. A possibilidade de vivenciar, mesmo que por alguns momentos, novas realidades permite-nos compreender o próximo e assumir o lugar dele, *expertise* fundamental para o desenvolvimento de uma comunicação pacífica.

Sobre nos termos perdido no caminho, é possível que tenhamos acreditado que, à medida que evoluíamos tecnologicamente, obtendo cada vez mais acesso à informação, tornando-nos de certa forma mais "cultos", a violência fosse cessando. Mas não foi isso que aconteceu, como mostram as sucessivas guerras e as várias formas de violência institucional e estrutural. Aqui mesmo no Brasil, vivemos, décadas atrás, um período de ditadura que foi finalizado a muito custo por movimentos contrários ao regime. Em seguida, caminhamos para uma consolidação democrática e, de repente, nos vemos novamente num contexto em que as instituições democráticas e o estado de direito são profundamente atacados. Aos poucos, somos arrastados por e para esse movimento. Vemos um país em que as pessoas entram em combate denominando-se "de esquerda" ou "de direita". Opiniões contraditórias criam espaço para que, em vez do respeito universal que é direito de todos, se iniciem e proliferem cada vez mais atritos entre indivíduos, culturas, crenças, escolhas e etnias.

Dessa forma, tudo aquilo que o psicodrama nos possibilita no espaço dramático e na ação da vida – a dádiva de poder dialogar, conversar e refletir – se esvai completamente, pois somos sequestrados por esse movimento de violência e, quando nos damos conta, à nossa volta amigos lutam entre si, famílias se separam, termos como "cancelamento" se propagam, reforçando discursos de ódio separatistas, e a violência se estabelece cada vez mais em nosso meio, em nossa alma.

E, enquanto nos digladiamos, não percebemos que, ao agir dessa maneira, estamos servindo absolutamente ao Sistema, ele, que usa o separatismo como instrumento de domínio e manipulação. Trata-se de uma velha tática: dividir para governar, método usado por impérios há muito tempo. Foi o que fizeram os impérios britânico e francês na África e no Oriente Médio: dividiram os territórios como que em linhas, repartindo-os e colocando minorias no poder, as quais, por sua vez, dominavam as maiorias. Por meio dessa tática, cria-se animosidade entre as pessoas. Quando um grupo social chega ao poder e domina os demais, outros grupos se revoltam, ou seja, não o aceitam nem o reconhecem. É assim que as guerras começam, pois, em nome de valores morais ou bandeiras de cunho religioso ou fundamentalista, esse poder dissemina a ideia de que os demais grupos são inferiores, obrigando-os a aceitar concepções impostas, controlando-os e dominando-os. Assim, cresce a motivação para que haja protestos e revoltas, que por sua vez levam a possíveis represálias e geram conflitos. Nesse ponto se inicia um inferno de guerras pessoais.

Hoje, vivenciamos guerras no Congresso brasileiro; pode-se dizer que a intolerância passou a ser quase bombeada para dentro de nosso coração, de nosso sangue. É tudo muito sorrateiro, não se percebe o que está acontecendo; parece que estamos diante de um vírus que nos domina por completo. Surge toda uma campanha separatista, que detém um padrão de atividade tão forte que até mesmo áreas como o psicodrama, que é o espaço de compartilhar, de dividir e olhar para o outro, se tornam palco de guerras e conflitos. Talvez isso pareça contraditório, mas ao mesmo tempo nos mostra que o conhecimento científico ou a prática do processo de psicoterapia não bastam para que nos livremos da violência.

É preciso ir muito além, é preciso estudar o outro. Por que frequentemente somos separados, divididos? Por que somos ceifados e roubados o tempo todo, sem sequer ter a possibilidade de dizer um "espere um pouco!", o que já seria uma reflexão? Primeiramente, precisamos indagar o que leva alguém a achar que determinados grupos devem ser exterminados, discriminados ou marginalizados. Em geral, o que o sistema de dominação espera é que, sendo parte de um desses grupos, nos revoltemos e, ao nos revoltarmos, passemos a praticar o mesmo ódio que é perpetrado contra nós. De repente, começamos a odiar o grupo opressor porque ele manifesta o ódio e, sem nos darmos conta, acabamos reproduzindo esse mesmo ódio. Todavia, não se combate o ódio com ódio, pois, ao fazermos isso, nos igualamos a quem nos incita a ele. Com isso, um grande ciclo perverso da guerra se perpetua, ora dominante, ora dominado; ora vítima, ora vitimador.

Mas seria o silêncio a solução? Seria ele uma forma de evitar conflitos e discussões arbitrárias? Como diz o poeta Emerson Silva, "Em mágoas sentidas de amargos guardados,/ O silêncio se torna ensurdecedor!" O silêncio também não é resposta. Na realidade, ele nos aprisiona em cadeias pessoais, nos priva de nossas expressões humanas e nos transforma em "bombas temperamentais" prestes a explodir. Precisamos, sim, debater, dialogar, desde que utilizemos uma comunicação pacífica. Como profissionais que lidam com os conflitos humanos, ao olhar para um grupo, devemos tentar compreender o que leva alguém a ter o desejo de aniquilar o outro, e que processos e ações dramáticas podemos praticar. Devemos indagar como o psicodrama de Moreno pode nos ajudar a agir nessas situações, mas sempre de forma espontânea, criativa e pacífica.

No entanto, a ação psicodramática não é, por si só, suficiente para contornar os conflitos que nos rodeiam. Com o psicodrama, buscamos e acessamos os traumas sofridos; contudo, nessa etapa, temos de caminhar com cuidado para evitar a reincidência de tais traumas ou até mesmo o surgimento de novos. Para tanto, é necessário "cuidar" do trauma e integrar a ação dramática com algo que nos ajude a zelar pelo cérebro, que está numa espécie de "irritação límbica", ou seja, tomado por ela. Entre os processos que ajudam na estimulação cerebral estão, por exemplo, o EMDR (*Eye Movement Desensitization and Reprocessing*) e o *brainspotting*, que ajudam a trazer à tona o trauma de forma que ele possa ser reprocessado, organizando as memórias e auxiliando o indivíduo a compreender os sentimentos que cada um desses registros provoca. Só a partir daí se pode recompor a cena dramática.

Então é correto dizer que EMDR e *brainspotting* são métodos melhores que o psicodrama? Afinal, existe de fato um método melhor? Notamos que até mesmo nessa seara somos alvos do separatismo. Alguns dizem: "Vou abandonar o psicodrama e só trabalhar com EMDR"; outros afirmam: "Vou abandonar a teoria junguiana para trabalhar apenas com psicanálise". Ou seja, também no meio acadêmico se pratica o "dividir para governar". Porém, só nos tornaremos melhores como seres humanos, estudiosos, amigos, professores e tudo mais quando verdadeiramente existir uma integração de pensamentos e teorias, de modo que não fiquemos reféns de um único pensamento, de uma única reflexão, interpretação ou ponto de vista. Só atingiremos um novo patamar de representatividade pela soma das partes e de nossas reflexões.

Como indivíduos, naturalmente, em diversos aspectos da vida, somos inclinados a acreditar, confiar, investir mais em algumas coisas e menos em outras. Isso ocorre devido às nossas experiências individuais e ao nosso conhecimento do mundo. Contudo, é essencial salientar que nem sempre é preciso escolher apenas um lado – ou, caso se tenha escolhido, ao contrário do que se vê costumeiramente, é possível conviver com opiniões adversas, pois cada um de nós, em seu livre-arbítrio, tem o sagrado direito de tirar as próprias conclusões sobre vida, trabalho, família, religião, política e todos os demais aspectos da existência. Talvez a constante representação do bem e do mal, presente em tudo à nossa volta – filmes, notícias, histórias, lendas etc. –, tenha imprimido em nosso interior a necessidade de apontar mocinhos e vilões quando, em verdade, bem e mal são realidades incontestáveis em nossa existência.

Diante disso, devemos refletir sobre a real possibilidade de unir forças e trabalhar juntos para agregar o que há de melhor no psicodrama, todas as suas técnicas e linhas de pensamento, e verdadeiramente explorar a criatividade, dando a ela força dentro da espontaneidade e utilizando-a para construir uma cultura de paz.

Dessa forma, a comunicação pacífica é fundamental para a construção da paz. Para tanto, é preciso exercitar e ampliar a capacidade de escuta, utilizando-a de forma simples e honesta para não cair em julgamentos e avaliações pré-estipuladas – ou, pior ainda, na tentação de interpretar o que está sendo dito pelo outro.

Quando alguém estiver defendendo um ponto de vista pessoal, teórico, político, acadêmico ou o que for, precisamos, em primeiro lugar, identificar internamente qual ou quais sentimentos nos são despertados e, em seguida, procurar entender por que foram despertados e o que podemos fazer com eles. Aqui existe todo um trabalho de "alfabetização do sentir" para que, identificando o que sentimos, possamos nos expressar de maneira que sejamos sinceros com nossos sentimentos, mas sem julgar ou atacar o outro. Por exemplo: "Quando você diz essa frase em relação a este assunto ou quando aponta o dedo e se dirige a mim dessa maneira, eu me sinto triste, humilhado, desrespeitado". Assim, estamos nomeando os sentimentos. Em seguida, devemos identificar a nossa necessidade básica em meio às situações, por exemplo: "Eu gostaria que você não apontasse o dedo para mim dessa forma, pois isso me faz sentir desrespeitado".

Desse modo, sempre que estivermos diante de um interlocutor que usa expressões, tom de voz ou gestos que nos atinjam negativamente, devemos salientar nossas necessidades básicas. Com essa prática, a possibilidade de ampliar a escuta ao outro cresce significativamente, tornando a conversa mais interessante. Podemos, inclusive, treinar com o outro, para que depois seja possível reconhecer os sentimentos e as necessidades de cada um, permitindo-nos fazer observações sem avaliações. "Em nosso diálogo, observei isto", "Observei que quando falamos sobre esse assunto, o clima entre nós esquenta" etc. Nesse momento, devemos também estar prontos para ouvir as observações do outro de forma empática. Tais observações podem e devem ser ampliadas para todo tipo de conteúdo – assim será muito mais simples fazer um pedido, por exemplo.

Portanto, o psicodrama, aliado a outras técnicas, pode nos ajudar a usar a comunicação de modo muito saudável, contribuindo para a construção de uma cultura de paz. É nessa direção que devemos trabalhar a fim de conviver bem. É preciso aprender a escutar e respeitar o sagrado direito do outro de existir e de pensar. Sem isso, continuaremos reféns de conflitos que jamais nos permitirão acolher a contrariedade e olhar para a "loucura" do outro com respeito, trazendo elementos para argumentar e dialogar.

É fundamental ter sempre em mente a capacidade de não julgamento, não avaliação e não interpretação. Faz-se necessário que, através de experiências, tentativas e reflexões, internalizemos pouco a pouco essa ideia, de modo que essa nova realidade esteja presente em todas as nossas ações psicodramáticas, em todos os nossos encontros com amigos, familiares, colegas de trabalho, colegas de estudo, em todas as palestras, formações, cursos. Sempre que nos "empoderamos" dessas capacidades, vamos também tornando-as indispensáveis, usando-as como recurso valioso para frear a violência nas relações interpessoais.

Como psicodramatistas, é comum cometermos um terrível engano quando, numa cena dramática, acabamos por incentivar alguém a se vingar, a ir ao encontro do revide, do enfrentamento. Sem perceber, muitas vezes achamos que somente no "como ser" é possível encontrar a oportunidade de elaborar cenas duras e marcantes que vivemos em algum momento, seja a recordação de uma violência infantil, familiar, escolar ou qualquer outro tipo de violência vivida. No entanto, à medida que estudamos e nos aprofundamos em neurociência, entendemos que ficar no jogo "ora vítima, ora vitimador" impede o cérebro de separar realidade de fantasia. E, ao não fazer essa separação, aquela ação dramática se torna um registro de violência, potencializando, muitas vezes, um novo trauma. Assim, não se deve repetir o padrão "ora vítima, ora vitimador". É preciso envolver a pessoa na cena dramática para que ela, por sua vez, revisite aquela cena vivida no passado e, de maneira saudável e criativa, dê a ela uma solução. O papel do diretor é justamente ajudar o protagonista/paciente a encontrar uma saída que provoque nele o impacto de paz – uma paz que seja possível, verdadeira e genuinamente alcançada através do entendimento da realidade. Se a memória do passado é, por exemplo, "sou criança e não tenho valor", hoje ele pode olhar para essa mesma criança e dizer: "Na realidade eu tenho valor; porém, naquela época outras pessoas me julgavam com base na própria ignorância ou no contexto cultural em que viviam. Com isso, eu não tinha a possibilidade de me tornar uma pessoa melhor. Agora, sendo adulto, posso me conhecer e reconhecer minhas estruturas e ser verdadeiramente feliz".

É preciso amplificar esse exemplo. Numa cena dramática com plateia, esta também entrará em ressonância com o processo que está sendo vivido ali, que é um processo de paz. Ao acompanharmos a plateia em meio a uma cena psicodramática, é comum vê-la incrédula, atônita, desconfiada, pois aquilo que está presenciando parece algo inalcançável. Mas, à medida que seus membros acompanham as soluções daquele drama, conseguem ver que, de fato, é possível. No *feedback* apresentado posteriormente, as pessoas demonstram o desejo de ser protagonistas, pois a experiência testemunhada também foi reparadora para elas, transformando-as e ajudando-as a ter outra interpretação dos fatos.

Para a maioria das pessoas, os julgamentos, avaliações e interpretações se tornam quase uma condição irrevogável para que se comuniquem em qualquer escala e em qualquer relação – e por vezes parece ser impossível relacionar-se de outra forma. Imperativamente, ficamos o tempo todo reagindo: "Preciso dizer o que eu penso acima de tudo, não posso me calar". De fato, temos esse direito, mas podemos dizer isso de forma não violenta, exercendo com o ouvinte uma comunicação que não seja utopicamente uma militância de paz, mas uma realidade possível.

No momento que ampliamos o sagrado direito de divergir, nos afastamos da nossa terrível tendência ao julgamento; adotamos uma postura diferente. E, assim, talvez nos conectemos com o pensamento de Voltaire: "Posso não concordar com nenhuma das palavras que você diz, mas defenderei até a morte o seu direito de dizê-las". Esse pensamento resume de forma absoluta e correta a comunicação pacífica. O direito de divergir implica ser respeitado, acolhido, e não rechaçado e banido. O outro pode existir e o divergente pode coexistir.

Moreno diz que o homem é um homem cósmico, não apenas social ou individual. Diante desse pensamento, cumpre-nos elaborar e compreender a necessidade de nos tornarmos pessoas comprometidas com a coletividade por meio da comunicação pacífica, objetivando sempre a construção cooperativa e colaborativa de caminhos que abarquem a cultura de paz, não somente no discurso, mas sobretudo numa atitude de enfrentamento da violência com posicionamentos firmes, usando a paz como instrumento de transformação do homem reativo em homem ativo. É somente pela existência de um caminho comum, apesar de discordâncias e divergências de qualquer ordem, que construiremos uma sociedade pacífica e amorosa.

REFERÊNCIAS

Moreno, J. L. *Psicodrama*. São Paulo: Cultrix, 1997.

Musleh, M. H. *Comunicação pacífica – A arte de viver em paz*. Cuiabá, MT: Umanos, 2019.

Bustos, D. M. *O psicodrama – Aplicações da técnica psicodramática*. 3. ed. rev. amp. São Paulo: Ágora, 2005.

Shapiro, F. *EMDR – Teoria da dessensibilização e reprocessamento por meio dos movimentos oculares*. 3. ed. São Paulo: Amanuense, 2020.

7. Anotações sobre o sentimento da vergonha

Maria Amalia Faller Vitale

A TEMÁTICA DA VERGONHA emergiu no espaço de conversação, durante a *live* "Família em cena", realizada em 13 de novembro de 2020. O evento foi organizado pela Sociedade de Psicodrama de São Paulo (SOPSP) dentro da programação de comemoração de seus 50 anos. Dialoguei, nessa atividade, com algumas das vozes que fizeram parte da minha travessia como terapeuta familiar. E, também, com outras que emergiram naquele momento. O estudo sistemático da vergonha fez parte, de forma significativa, desse percurso. Surgiu daí a vontade de revisitar o tema – que, hoje, abrange outras possibilidades de reflexão – e pontuar, ainda que de forma breve, novas questões.

QUEM NÃO TEM GRAVADA NA MEMÓRIA UMA CENA DE VERGONHA?

Nossa vida cotidiana é permeada por emoções e sentimentos positivos e negativos. Nas relações com pessoas, grupos e redes sociais, nós nos movimentamos entre esses extremos em gradações diversas. Amor, esperança e alegria são considerados sentimentos positivos. Ódio, mágoa e vergonha se inserem no espectro de sentimentos negativos.

O contexto também dá significado aos sentimentos. O ódio que destrói pode unir. Muitas relações familiares que são levadas a processos litigiosos revelam essa dinâmica. O medo prepara para o confronto, mas também conduz à fuga. Os sentimentos podem ser expressos de forma passiva ou ativa. Um sentimento por vezes recobre outro. O ódio, muitas vezes, dissimula poderosos ressentimentos. Os sentimentos podem se tornar contagiosos, coletivos. As situações de pânico nos espaços públicos e os eventos bárbaros de linchamento são exemplos disso (Vitale, 1994). Hoje, a dimensão do contágio também se faz presente nas redes sociais.

As emoções fazem parte de nossa vida psíquica e social. Alguns autores distinguem sentimentos e emoções (Heller, 1985). No âmbito deste escrito, prefiro apenas sinalizar, como já nos mostrava o sociólogo e antropólogo francês Marcel Mauss (2017), que as expressões dos sentimentos e emoções não são apenas ocorrências psicológicas e fisiológicas, mas também sociais. Há um caráter expressivo e comunicativo do sentimento. As emoções são codificadas socialmente.

Mas precisamos falar da vergonha. Ela tem atualidade. No mundo dos sentimentos, a vergonha representa a ligação entre o humano e a sociedade.

Em mesa-redonda realizada no X Congresso Internacional de Psicoterapia de Grupo, ocorrido em 1989, o psicanalista inglês Malcolm Pines (1925-2021) contou uma lenda a respeito da origem da vergonha. Resumo aqui parte do que foi relatado por ele.

Conta-se que os homens se agruparam para se proteger das intempéries da natureza e dos animais ferozes. Eles passaram a viver em formações que mais tarde se tornariam as cidades. Porém, estas começaram a ser destruídas por seus habitantes, que se agrediam mutuamente. Zeus, vendo os homens morrerem e se dispersarem e temendo que a raça humana se destruísse, enviou à Terra seu mensageiro. Este ofereceria dois presentes aos homens: Diké – o senso de justiça – e Aidós – a boa imagem que cada um deveria ter de si mesmo. A boa imagem de si diz respeito ao sentimento da vergonha. Somente com aqueles dois presentes, afirmava Zeus, os homens poderiam exercer a arte da política e evitar as guerras. O mensageiro perguntou a Zeus se todos deveriam receber os presentes ou apenas aqueles que tinham poder e responsabilidade, e ele respondeu que todos os seres humanos deveriam recebê-los para que se tornassem cidadãos.

Essa lenda contém o significado mítico da origem da vergonha. Ela nos mostra que a vida social se tornaria impossível ou difícil sem esse sentimento, que é intrínseco ao ser humano e construído na sua inexorável relação com o *socius*. Por isso mesmo, os conteúdos que sustentam a vergonha permanecem e se transformam ao longo do tempo.

Nos últimos tempos, no Brasil, a vergonha passou a ocupar as colunas dos jornais e dos comentários nas redes sociais: "é uma vergonha", "não tem vergonha", "sinto vergonha ao...", "deveria sentir vergonha".

Do que se tem vergonha atualmente? Ela permanece na sociedade como um todo ou somente em alguns grupos sociais? Sentimos vergonha em quais circunstâncias? Quais são as novas representações da vergonha? Tais questões ilustram as inúmeras faces desse doloroso sentimento. Diante de sua complexidade, torna-se importante discorrer sobre aspectos dele para então esboçar alguns dos novos ângulos da vergonha atual.

A vergonha é um sentimento e uma emoção (uso os termos intercambiados) que podem se tornar visíveis. Diante deles, as pessoas ruborizam, se embaraçam, desejam sumir, desaparecer, ficar em silêncio, esconder o rosto com as mãos. "Morrer de vergonha" é um momento de desastre social e psíquico para o "eu". Com a vergonha presente, aquela fração de tempo parece que não passa. Nos atos vergonhosos, somos tomados por essa emoção. "No episódio vergonhoso, o tempo é um limite, não há refúgio para o 'eu', que espera superar este momento. Com a emoção da vergonha presente, é impossível transcender aquela fração de tempo" (Vitale, 1994, p. 19).

A vergonha é também um sentimento moral inibidor, que restringe nossa ação. Experimentá-la é temer não o ódio, mas o desprezo do outro.

A vergonha se revela ainda quando não há correspondência entre nossas exigências e idealizações e as dos outros significativos, surgindo quando o "eu" é invadido, como nas situações de abuso físico, doença, tortura.

Segundo Bologne (1986, p. 21), "a vergonha não se distingue, muitas vezes, do pudor; [...] o pudor nasceu em estreita correlação com a vergonha [...] surge como uma vergonha antecipada, a recusa preventiva do que é considerado fraqueza ou ridículo".

Houve um tempo em que vergonha e pudor se confundiam. No uso mais corrente, o pudor está associado a questões sexuais e corporais. Ambos sinalizam fronteiras entre o "eu" e o "outro" que não devem ser violadas. Nesse sentido, essas emoções tendem a proteger os limites do indivíduo.

Vergonha e culpa são sentimentos próximos e aparecem, às vezes, associados. Na vergonha, nosso temor é o olhar do outro; na culpa, o mal está dentro de nós. A culpa, que engendra o sofrimento, está ligada ao débito a ser quitado nas relações interpessoais, com a sociedade e com o próprio mundo interno. Diante dela, nosso temor é o castigo, enquanto perante a vergonha tememos o desprezo do outro. Sentimos vergonha pela nossa forma de ser ou de agir e tomamos como medida a aprovação ou a desaprovação do outro. Mas a vergonha também pode indicar a reparação de uma falta ou até mesmo o remorso. Quando alguém diz que se envergonha por seus atos, está indiretamente pedindo desculpas; nesse caso, a vergonha surge associada à culpa (Heller, 1985).

A psicanálise tem discutido culpa e vergonha. Há vasta produção no campo psicanalítico sobre a formação desses sentimentos (Freud, 1948; Fairbairn, 1978; Kohut, 1984). A culpa, no entanto, foi tratada teoricamente de forma mais consistente.

A relação entre vergonha e honra também foi abordada e debatida, sobretudo na antropologia. Peristiany (1971), autor clássico no estudo dessa relação, focalizou as sociedades mediterrâneas e subsidiou teoricamente inúmeros outros estudos.

A vergonha, em suas várias dimensões, pode nos deixar consoantes com nosso ambiente cultural, com as relações sociais em que estamos inseridos, regulando ações e comportamentos. A intensidade desse sentimento depende não só das normas que foram violadas, mas também da maneira como nos relacionamos com elas. Nem todos experimentam a vergonha com a mesma intensidade, como bem já sabemos. Por outro lado, nas sociedades contemporâneas, as normas e suas interpretações não são homogêneas – e, nesse sentido, a vergonha é vivenciada de forma diferente por pessoas e grupos. Ela deixaria, assim, no bom sentido, de nos conformar somente às regras e às normas.

Quais são as questões que podemos levantar hoje sobre a vergonha? De qual vergonha estamos falando? Que olhar mais nos envergonha? O da família, das pessoas de nossas relações, dos cidadãos? Ou será o olhar ampliado das redes sociais que desperta nossa vergonha ou o temor dela? Existe vergonha alheia?

O olhar do outro social é uma referência para as dolorosas cenas de vergonha. É o olhar do outro, mais do que o ato realizado, que provoca a vergonha. Assim, olhar e ser olhado são dois polos presentes quando se trata desse sentimento. São duas experiências básicas com que todos deparamos em nosso desenvolvimento (Heller, 1985; Vitale, 1994).

Destaco brevemente três aspectos que, pela observação, ganham relevância no momento sociocultural que vivemos: a "vergonha alheia", o "olhar das redes sociais" e o "olhar estrangeiro".

VERGONHA ALHEIA

Termo que vem sendo empregado de forma mais expressiva, corresponde ao sentimento que alguém experimenta por algo que outra pessoa disse, fez ou passou. É a ação do outro que envergonha. É o "meu olhar" que observa a ação do outro e sente vergonha "por ele". Em linguagem psicodramática, seria como alguém ser o espelho do outro ou fazer um duplo dos sentimentos do outro (Fonseca, 2018). Nesse último caso, seria expressar a vergonha que alguém deveria sentir em determinado episódio vergonhoso.

Mais recentemente, a neurociência, com base no estudo dos neurônios-espelho, vem discutindo de forma instigante a adaptação de emoções vividas por determinado indivíduo no plano do inconsciente de outro indivíduo (Callegaro, 2011). Menciono essa perspectiva teórica aqui apenas para sinalizar que há novas possibilidades de reflexão sobre os sentimentos, em especial quando se trata da vergonha alheia.

O OLHAR DAS REDES SOCIAIS

A vergonha ganhou novo perfil com a consolidação das redes sociais. Ela emerge nos aspectos de quem "perdeu" a vergonha e de quem passou a se sentir envergonhado pelo "olhar" de tais redes.

O psicoterapeuta americano Aaron Balick discutiu o tema em entrevista à BBC Brasil (Moura, 2017), afirmando que "as redes sociais reduzem a noção de vergonha". Os usuários das redes postam o que quiserem, mais preocupados com as curtidas do que com o efeito do conteúdo sobre o outro. Com ou sem intenção, expõem o outro a uma escala imensa de público. E, acrescento eu, a uma escala imensa de olhares. Os internautas manifestam comportamentos sociais que possivelmente evitariam se estivessem diante do olhar do outro. Na dimensão das redes sociais, este não tem visibilidade e não há como se colocar em seu lugar.

Balick chama atenção para o fato de que as redes sociais funcionam como uma extensão do nosso mundo social. Para ele, nossos "eus" são ampliados *online* e nos deixam permeáveis, vulneráveis à percepção dos outros de forma inédita. Além disso, o acontecimento que envergonha tende a ficar eternamente disponível nas redes. Há, dessa forma, uma vergonha perene ou potencial, que não mais ocupa um lugar de contenção das manifestações destrutivas ou violentas oriundas da internet.

Nossas cenas de vergonha ficam registradas em nosso mundo interno. Ao ser lembradas, voltam à consciência, e o desconforto que as acompanha pode ressurgir. No trabalho sociodramático, essas cenas costumam ser ressignificadas. Porém, as cenas registradas nas redes sociais são, em certa medida, intransponíveis: elas podem ser acessadas de inúmeras formas e por muitíssimas pessoas ao longo da vida dos envolvidos no ato vergonhoso. É preciso encontrar e apreender formas de lidar com a vergonha que as redes despertam, em especial com grupos mais vulneráveis social ou geracionalmente.

Sabemos de inúmeros casos dramáticos e mesmo trágicos que ocorreram com adolescentes expostos nas redes por seus pares de escola ou por grupos sociais. Nós, terapeutas, trabalhamos com essas situações dolorosas. No meu caso, a vergonha emerge nas cenas ou histórias familiares. Tal sofrimento tem adquirido novos contornos em função do ambiente digital.

O OLHAR DO ESTRANGEIRO

A vergonha que as pessoas sentem como brasileiras tem por referência o olhar do outro estranho, do "estrangeiro". Tal olhar pode ser concreto ou imaginário. O "outro estrangeiro" apresenta, como em um espelho, o nosso sentimento de vergonha. Somos os mesmos, mas nossas falhas nacionais ficam mais visíveis. É como se fosse uma vergonha pensada, invadida pela racionalidade. Ela traz desconforto, mas tende à ação.

O olhar estrangeiro nos desperta pela desigualdade? Por que o olhar de um cidadão brasileiro não causa efeito semelhante? Será que esse tipo de olhar se pulverizou ou se naturalizou de tal forma que não deve ser levado em conta? E quanto à boa imagem que deveríamos ter de nós mesmos? De fato, temos muitos motivos para nos envergonhar. No momento em que escrevo este texto, são 621 mil mortos por Covid-19 no país.

Em nossa sociedade, parece ter prevalecido a dimensão mais perversa da vergonha: a que recobre violações do corpo, a humilhação de grupos minoritários, identitários ou excluídos – como acontece nas experiências de racismo. Por outro lado, não podemos deixar de pensar que, se a vergonha funciona como elemento de exclusão, de submissão, a não vergonha, ou seja, a sua ausência, pode legitimar não mais as normas, mas as razões práticas individuais. E, assim, sua falta pode se tornar raiz de violência, como bem se observa no caso das redes sociais.

Gostaria de terminar estas breves anotações com uma observação sobre a terapia familiar de base psicodramática. Nela, "o olhar que envergonha", "o olhar ideal", o "olhar desigual", o "olhar familiar", o "olhar público" e, hoje, "os olhares das redes sociais" podem ser recriados com sensibilidade. "[...] o contexto que revela o 'olhar do outro' que julga, desnuda, expõe, idealiza, avalia, humilha, subalterniza, exclui é um ponto de partida (ou de chegada) para a aproximação da superação do sentimento de vergonha" (Vitale, 2007, p. 91).

Ainda para finalizar, meus agradecimentos especiais ao José Fonseca e à Mariana Kawazoe, que contribuíram, por meio de suas indagações, para atualizar estas ideias. Agradeço também a Adelsa Cunha pelo convite. Seu entusiasmo me fez, primeiro, aceitar o desafio de enfrentar uma primeira *live* e, depois, o de escrever este capítulo.

REFERÊNCIAS

Bologne, J. C. *História do pudor.* Rio de Janeiro: Elfos, 1986.

Callegaro, M. *O novo inconsciente.* Porto Alegre: Artmed, 2011.

Fairbairn, W. J. *Estudio psicoanalítico de la personalidad.* Buenos Aires: Hormé, 1978.

Fonseca, J. S. *Essência e personalidade – Elementos de psicologia relacional.* São Paulo: Ágora, 2018.

Freud, S. *El malestar en la cultura.* Madri: Biblioteca Nueva, 1948 (Obras Completas, v. III).

Heller, A. *Il potere della vergogna.* Roma: Riuniti, 1985.

Kohut, H. *Self e narcisismo.* Rio de Janeiro: Zahar, 1984.

Mauss, M. *Sociologia e antropologia.* São Paulo: Ubu, 2017.

Moura, R. "'Redes sociais reduzem noção de vergonha, diálogo e empatia', diz psicoterapeuta americano". *BBC Brasil* (*online*), 2 dez. 2017. Disponível em: <https://www.bbc.com/portuguese/geral-42197265>. Acesso em: 13 jan. 2022.

Peristiany, J. G. *Honra e vergonha – Valores das sociedades mediterrânicas.* Lisboa: Fundação Calouste Gulbenkian, 1971.

Vitale, M. A. F. *Vergonha: um estudo em três gerações.* Tese (doutorado em Psicologia), Pontifícia Universidade Católica de São Paulo, São Paulo (SP), 1994.

______. "O sentimento de vergonha na terapia de casais e famílias". In: Vasconcelos, M. C. M. (org.). *Quando a psicoterapia trava.* São Paulo: Ágora, 2007.

8. O fio da vida e a vida por um fio – Aprendendo a se reencantar em tempo de pandemia

Maria Luiza Vieira Santos

Mariângela Pinto da Fonseca Wechsler

> [...] O que Deus quer é ver a gente aprendendo a ser capaz de ficar alegre a mais, no meio da alegria, e ainda mais alegre no meio da tristeza! Só assim de repente, na horinha em que se quer, de propósito – por coragem.
> (Rosa, 2019, p. 293)

O CONTEXTO SOCIAL: O FIO DA VIDA

Março de 2020. Primeira semana: ano letivo reiniciando, crianças e adolescentes retornando às aulas, às atividades extras e à psicoterapia. Consultório se encaminhando para um ritmo mais estável. Agenda em configuração. Tudo tão familiar. Início de ano é assim mesmo: formação de grupos, reorganização de horários. Tudo vai tomando forma. Ainda é verão, mas nos bastidores desse palco se anuncia uma nova estação com os rumores sobre a Covid-19. O clima é de apreensão e, da noite para o dia, numa reação quase fisiológica de luta e fuga, corremos para casa buscando sobreviver diante do perigo. A palavra é *pandemia*.

Passamos a viver uma situação inusitada e sem protocolos atualizados. Sem manual de instruções. Rotinas foram definidas, decisões foram tomadas, decretos foram assinados ao mesmo tempo que os fatos se sucediam e o coronavírus se espalhava.

E, na procura de possíveis caminhos, recalculamos a rota, saímos da conserva, nos obrigamos a criar respostas para enfrentar a adversidade. A agilidade do Conselho Regional de

Psicologia (CRP) e do Conselho Federal de Psicologia (CFP) na liberação dos cadastros de profissionais para atendimento *online* foi fundamental, pois a demanda de apoio emocional era premente. Medo, mudança de rotina, afastamento de pessoas queridas, fechamento das escolas, isolamento social, perdas e lutos. Confinamento.

O CONTEXTO GRUPAL: A VIDA POR UM FIO

Fio para prender nos rostos as máscaras que passaram a fazer parte de nossa vestimenta diária. Fio de respiradores sendo disputados em busca de oxigênio nas UTIs lotadas. Fio de conexões *online*, televisores, telefones, computadores facilitando a comunicação e viabilizando contatos e notícias. Fio de união nas redes, nos grupos que foram se formando em busca de apoio, compartilhando ideias e discutindo possibilidades.

Num fio de esperança fomos encontrando o fio de continuidade, testando hipóteses, tentando novas formas de trabalhar, buscando caminhos, reinventando, recriando, procurando saídas. Redescobrindo novas formas de aliviar as dores emocionais, brincando com as crianças diante das "janelinhas", obtendo novos aprendizados para fazer psicodrama de forma virtual.

Tudo mudou muito rapidamente. Adultos e crianças, terapeutas e clientes em todos os lugares vivenciando a mesma situação: nos transformamos em "do lar". A casa virou local de trabalho. Conteúdos escolares e currículos passaram a se misturar com novas aprendizagens resultantes das demandas do cotidiano das famílias. E a tarefa de educar, que vinha sendo terceirizada, distanciada dos pais, voltou para o cotidiano, num compartilhamento das ações mais banais e corriqueiras. Assim surgiram possibilidades de construir e transmitir um saber informal, legado preciso e precioso oportunizado pela crise e pela busca de alternativas de sobrevivência emocional.

Adultos e crianças fragilizados emocionalmente e com muitos medos. A perda de pessoas queridas e de empregos, a angústia por não saber quando aquilo ia passar, o medo do futuro.

E foi nessa atmosfera que todos nós, profissionais da saúde e da educação, famílias e trabalhadores começamos a viver uma etapa de reaprendizagem para o exercício das atividades do cotidiano. Nossas respostas haviam virado conservas (Moreno, 1978). Já não serviam. Diante de um imenso nó, o grande desafio: a necessidade premente de sobrevivência nos convocando a buscar alguma saída, procurar o fio da meada...

PEGANDO O FIO

Pensando na construção do eu na matriz de identidade, da perspectiva socioafetiva-cognitiva, o ser humano precisa de nove meses na barriga da mãe para nascer; de cerca de dois anos para construir a função simbólica, ou seja, a capacidade de "representar na cabeça" o objeto ausente; de seis a sete anos para *inverter o papel com o outro* e construir signos e conceitos; de mais ou menos 15 anos para construir o "universo dos possíveis" e subordinar o "real" a ele. E da vida toda para ressignificar os conteúdos que dão forma aos papéis e lhe permite tecer novos sentidos para sua existência.

Para toda essa construção infindável são necessárias *relações* e experiências com pessoas, objetos e com os valores sociais, nos *cenários vivos*. Só assim uma *resposta nova* e adaptada ao meio e a si próprio – *espontaneidade* – pode acontecer, tirando o sujeito de desequilíbrios e recolocando-o em situações mais estáveis e confortáveis. Trata-se de um *processo ativo* (Wechsler, 2020).

De quanto tempo precisamos para nos adaptar a esse contexto de pandemia, em que o *virtual* ganha uma nova conotação, a de *necessidade relacional*?

Para que precisamos nos adaptar, afinal? Quem sabe para redescobrir o senso de coletividade, escapando do individualismo marcante da modernidade. Entendendo a contemporaneidade como a relação singular com o próprio tempo em que estamos imersos e do qual nos mostramos simultaneamente distanciados (Agamben, 2009) –, será que na atual articulação de *cenários* (político/social/cultural), poder-se-á promover o resgate do sentido do que é *ser humano* e de quais valores queremos que norteiem nossos grupos de pertencimento? E quiçá a *sociedade*? Afinal, somos participantes desse caldo social e estamos todos *implicados*.

O SIGNIFICANTE PANDEMIA E SEUS MÚLTIPLOS SIGNIFICADOS

Como escapar dos *dispositivos* que atravessam o processo de subjetivação que nos molda? Ações instituintes fugindo do instituído, das conservas culturais? Com ludicidade, campo relaxado... jogos que podem conservar o rito e desconstruir os mitos?

Como nos reencantar?

Quem sobreviverá? Moreno (2008) já se fazia essa pergunta no século passado, um homem à frente do seu tempo...

O cenário da pandemia nos traz medos, tristezas, desamparo, uma multiplicidade de sentimentos e muitas contradições, pois se articula com o contexto sociopolítico brasileiro.

Nesse cenário, meu olhar clínico nas famílias com crianças, com adultos e em alguns grupos de trabalho de que participo aponta para a constatação da porosidade entre os contextos social, grupal e dramático, trazendo à tona a organização disfuncional dos sistemas, tanto intrapsíquicos como interpsíquicos.

Assim, faz-se necessária uma dose de *reencantamento*, aquela centelha divina que nos habita e nos faz querer conhecer, desbravar, ser curiosos como a criança saudável que se envolve no *aqui e agora*. Novas ações espontâneas e experimentações facilitam o encontro de um novo equilíbrio rumo à saúde. Para tal, percebo que relações que engendram *tele*, hoje de modo virtual, são fundantes. Cocriações a partir do *reconhecimento do eu*, do *tu*, do *nós* em determinado campo sociométrico e, novamente, o reconhecimento dos antigos jogos relacionais que reaparecem pedindo elaboração e novo equilíbrio. *Relações* atravessadas por *tele-espontaneidade.*

Nas famílias, a queixa da criança como paciente identificado. Nos grupos, a presença do "bode expiatório". Nos atendimentos individuais, o reaparecimento de uma organização psíquica que traz sofrimento. O reencantamento, tal como o da criança que está com seu brinquedo novo, que vive com *entusiasmo – en theos* –, pode ser o olhar do diretor de psicodrama que está imerso no sistema e, ao mesmo tempo, tem um distanciamento reflexivo que lhe permite adentrar a estrutura e a organização dos sistemas e cocriar linhas de fuga rumo à saúde – *tecer junto com.* Nossos métodos socionômicos, assim como seu corpo teórico, metodológico e filosófico de *ser humano*, são potentes para nos acompanhar nessa travessia.

Momento importante, único, que pode favorecer a ressignificação de antigos sentidos.

O *fio da vida* seria podermos fazer essa ressignificação sempre que houvesse necessidade; a *vida por um fio* pode nos impulsionar ao reencantamento – à *sobrevivência*. Esse foi nosso aquecimento!

CONTEXTO DRAMÁTICO

A bola começou a ser passada imaginariamente para a plateia pela equipe composta pelas diretoras/pesquisadoras com a seguinte pergunta: "Revisitando sua ancestralidade, que qualidades/talentos para o momento atual vocês podem resgatar e a qual geração elas pertencem?"

Cada um que quis falar teve seu espaço no contexto dramático.

Cada um, ao receber a bola (imaginária), foi convocado a compartilhar algo aprendido com seus antepassados que nesse momento serve como fio condutor para novas respostas que vêm sendo exigidas para sobreviver emocionalmente ao isolamento social – e a tudo que ele acarreta. Algumas das respostas: "força", "alegria", "coragem", "resistência", "fé na vida", "resiliência", "ser guerreira", "espiritualidade", "lealdade".

Cada participante da *live* ocupou seu lugar no palco, compartilhando angústias diante da instabilidade e criando possibilidades para buscar a estabilidade. Como fios de um tear, fomos tecendo e compartilhando experiências.

Como aquecimento para o compartilhar, a equipe diretora do encontro fez a seguinte pergunta: *quais seriam os ecos/ressonâncias em cada um?*

COMPARTILHAR

- "Novo normal não existe, isso é normalizar o novo que nem aconteceu."
- "Precisamos sair disso sem nos mortificar."
- "O homem não teceu a rede de vida, porém o que fizer a ela fará a todos."
- "Como vamos cuidar de cada um e o que valorizamos?"
- "Corresponsabilidade pelo planeta."
- "Trocar o pneu com o carro andando."
- "Apesar de tantos desafios, e diante da finitude, precisamos acreditar nos fios da vida."

CONSIDERAÇÕES FINAIS

O *lúdico* como ponte entre a *fantasia* e a *realidade*. Construímos, na *realidade suplementar*, sentidos em tempos de pandemia. Em tal realidade, os sentidos simbólicos são tecidos, e naquele momento vivenciamos o sentido singular de coletividade: o *fio da vida* foi tecido em meio à celebração dos 50 anos de existência da SOPSP. A *vida por um fio* foi tecida conjuntamente, pois sem esse espaço e esse tempo nos mortificaríamos.

Para tal, conseguimos facilitar e catalisar as primeiras qualidades a ser resgatadas para a empreitada que celebra e reconhece a travessia dessa grande instituição formadora: *cuidar de si, do outro que me habita*, do que poderemos refletir na teia que nos constitui continuamente; cuidar do planeta que habitamos e dos valores de justiça democrática que tanto prezamos. Uma dose de intempestividade e coragem foi requerida de todos(as) os(as) presentes.

Foi uma honra termos iniciado a celebração de 50 anos da SOPSP por meio da *live*. E agora, compartilhando a experiência por meio deste texto, talvez possamos também representar a tessitura da *realidade suplementar*.

REFERÊNCIAS

Agamben, G. *O que é contemporâneo e outros ensaios*. Chapecó: Argos, 2009.

Rosa, J. G. *Grande sertão: veredas*. São Paulo: Companhia das Letras, 2019.

Moreno, J. L. *Psicodrama*. São Paulo: Cultrix, 1978.

______. *Quem sobreviverá? – Fundamentos da sociometria, da psicoterapia de grupo e do sociodrama*. São Paulo: Daimon, 2008.

Wechsler, M. P. da F. *Relações entre afetividade e cognição; de Moreno a Piaget; do construtivismo piagetiano à sistêmica construtivista; da clínica privada à clínica social*. Curitiba: Appris, 2020.

9. Educação e sociopsicodrama – Diferentes contextos

Marília Josefina Marino

> Não sou esperançoso por pura teimosia,
> mas por imperativo existencial e histórico.
> [...] Minha esperança é necessária, mas não é suficiente.
> Ela só, não ganha a luta, mas sem ela
> a luta fraqueja e titubeia.
> (Freire, 2005, p. 10)

DOS BASTIDORES: AQUECIMENTO

Trazer considerações sobre momentos especiais em que, celebrando os 50 anos da Sociedade de Psicodrama de São Paulo (SOPSP), compartilhamos caminhos e apresentamos nosso pensar evoca palavras-ação: *agradecer* a existência pessoal-profissional compartilhada, à luz das criações de J. L. Moreno, e *esperançar*, tornada verbo por Paulo Freire.

No encontro com esses investigadores da condição humana, em que o pensar-fazer articulam saúde e educação, tendo em vista uma proposta amorosa para uma vida pessoal-social solidária, justa e democrática, teço os fios dessa reflexão no cultivo de uma "aliança com a vida". "Luta" que, por amorosa, abre-se à *dialogicidade* freiriana, à possibilidade do *encontro moreniano* e à espontaneidade-criatividade proposta pelas duas abordagens (Marino, 2019).

Na preparação da *live*, em que contamos com a anfitriã Maria Célia Malaquias, a ideia era trazer a experiência profissional como psicodramatista no foco socioeducacional, e um indicativo das minhas publicações foi pedido para o aquecimento. Assim nossa "roda de conversa" foi se delineando...

DO PALCO SOCIAL: UM RETROSPECTO

Pedagoga com mestrado em Educação e doutorado em Psicologia Clínica – não pelo exercício da clínica, mas pelo olhar filosófico e sociopsicológico na articulação entre saúde e educação –, a "professora universitária da PUC-SP desde 1979" integrou a SOPSP em 1992 em busca de maior vinculação ao movimento psicodramático e por seu caráter institucional de "associação" que congrega iguais. Psicodramatista desde 1976 e atenta às questões socio-históricas, éticas e políticas, carrego comigo a matriz de trabalhos sociopsicodramáticos vividos na escola, na comunidade, em organizações públicas e, de forma especial, na formação de psicodramatistas/socionomistas a partir do foco socioeducacional.

A vinculação com a SOPSP abriu caminhos para um engajamento intenso no movimento psicodramático. Atuei na Diretoria de Ensino e Ciência da Federação Brasileira de Psicodrama (Febrap) por duas gestões seguidas, ao lado de uma equipe envolvida com a educação em cocriação, contribuindo para a sistematização dos princípios gerais normativos para a formação do psicodramatista (Fava *et al.*, 2005). Na SOPSP aconteceu uma das primeiras experiências com a educação continuada do psicodramatista dos níveis II e III. O nível I – a formação básica – já ocorria em circunstâncias especiais no convênio SOPSP-PUC-SP desde 1996.

Em um momento de difícil travessia para a SOPSP (1993), a condição de docente exercida ali e na PUC-SP permitiu criar o convênio entre as duas instituições. Com essa ação, empreendida pelo coletivo, a formação em psicodrama pôde ocorrer na universidade, em curso de pós-graduação *lato sensu*/especialização. A SOPSP foi pioneira nessa iniciativa e, com essa experiência, contribuiu para articular outras federadas com instituições de ensino superior. Entre 1996 e 2018, com a finalização da 19ª turma formada, ficam para os registros históricos a produção de quase 200 monografias de qualidade e um grande contingente de psicodramatistas atuantes.

Durante os anos do convênio, muitos estudantes de ambos os focos realizaram ações na SOPSP vinculando-se ao Centro de Atendimento em Psicodrama (Capsi), participando de encontros, grupos de estudos e congressos. A alegria, hoje, é constatar que a entidade fez sucessores e, neste momento, contamos com a presença de egressos do convênio, compondo uma diretoria jovem junto com ex-alunos da educação continuada!

A casa SOPSP recupera a sua potência também na formação do Nível I e a comunidade SOPSP se fortalece. Fica a questão que sempre esteve presente para vários sócios: se, de um lado, a presença na universidade projeta o psicodrama no contexto acadêmico, as demandas burocráticas da academia – em tempos em que políticas mercadológicas são camisas de força para a educação – permitem que o psicodramatista com formação básica alcance seu máximo vigor fora do aconchego e das perspectivas mais flexíveis de uma federada? Há muito que discutir sobre os desafios em vários níveis, mas essa reflexão cabe em outro lugar... Considerando, inclusive, diferentes modelos de parceria construídos em diferentes federadas Brasil afora.

EM CENA: EXPERIÊNCIAS DE EDUCAÇÃO E SOCIOPSICODRAMA

Atendendo agora ao foco da *live*, dois eixos se entrecruzam: o que é educação? Por que denomino meu trabalho sociopsicodrama?

Educação é fenômeno social que ocorre nas relações em vários níveis, desdobrando-se em diferentes contextos:

1. *Educação informal* – presente nas interações em diferentes papéis sociais, como o que ocorre na família, entre amigos, no que nos traz a mídia e pelo mergulho na ambiência sociocultural.

2. *Educação formal* – o da escolarização vinculada a sistemas institucionais, sobredeterminada pelo Estado, instituição maior, lócus de currículo estabelecido e expectativa de diplomação.
3. *Educação não formal* ou popular – como ocorre em projetos de organizações não governamentais, associações, centros culturais.

O que está em jogo? Sempre há uma intencionalidade em quem se responsabiliza pela ação educativa à luz das seguintes perspectivas: que ser humano temos em vista educar? Para qual modelo de sociedade? Explicitadas ou não, assumidas conscientemente ou não, são questões que se articulam no socializar-educar.

Daí a reflexão com que nos brinda Charlot (2000, p. 53): protagonista de nossos tempos, a educação *hominiza* – torna-nos humanos, conscientiza-nos de que integramos uma espécie diferenciada na natureza. E completaríamos: *humaniza-nos* à luz de valores a ser cultivados. Assim, a educação *socializa* – torna-nos membros de uma sociedade, integrantes de uma cultura. Herdeiros de fazeres e saberes, somos chamados à responsabilidade pela cidadania perante as novas gerações e as que conosco convivem, tendo em vista os ciclos da vida. Finalmente, a educação *singulariza* – possibilita que nos tornemos sujeitos únicos, assumindo a tarefa de ser, de responder por quem somos, de delinear um projeto de vida pessoal-profissional. Assim nos diz o pensador: "O Filho do Homem é obrigado a aprender para ser" (Charlot, 2000, p. 51).

Desafios de aprender a *conhecer*, a *fazer*, a *conviver* e a *ser*, como postulam os relatórios da Unesco tendo em vista uma educação para o século 21, o primeiro articulado por Delors (1999) e o último (até o momento) articulado por Morin (2006). Morin desdobra os quatro conhecidos pilares anteriores, introduzindo problematizações que resgatam áreas a ser ensinadas/trabalhadas. "Ensino" traz o sentido de aprendizagens essenciais a ser cultivadas: questionar o conhecimento que nos é transmitido como verdade absoluta e ensinar que temos uma inegável cidadania planetária. Trata-se da busca de uma antropoética em que, diante da corresponsabilidade pela nave-mãe Terra, aprendamos a lidar com as diferenças e com o que nos unifica: a condição humana.

Ao postular a espontaneidade-criatividade como caminho para a sobrevivência humana, J. L. Moreno (1992) coloca-se como precursor desse horizonte, alertando-nos de que a espontaneidade-criatividade vivida nas relações configura o fenômeno *tele* – a empatia vivida em mão dupla, configurada na dimensão poético-filosófica do encontro e experienciada concretamente na "inversão de papéis", o colocar-se no lugar do outro. O que também Paulo Freire defende.

Por que chamar meu trabalho como psicodramatista de "sociopsicodrama"? Na riqueza conceitual da abordagem moreniana e na profusão das ferramentas metodológicas cuja raiz é o teatro espontâneo, manter a perspectiva de que "somos em relação" focando temas, grupos ou pessoas é guardar a aprendizagem realizada com Moreno, fundada na filosofia existencial: somos em construção, sempre em uma teia de relações, visíveis ou invisíveis – cabe explicitá-las. O contexto do "como se" é lugar privilegiado na "dramatização" e na mobilização do imaginário com mediadores simbólicos no contexto grupal. É importante não perder de vista o que acontece em tal contexto – realizar a leitura do "drama" como acontecimento/ação que permeia as relações (Marino, 1992, 2002).

EDUCAÇÃO NA PRÁTICA

Em um primeiro recorte da experiência profissional, no papel de coordenadora do curso de Pedagogia na PUC-SP, a perspectiva moreniana/freiriana fecundou nosso olhar, respondendo pelas dimensões pedagógica e educacional. Três semanas depois de assumir o cargo, fomos todos atingidos pela suspensão das aulas e da convivência presencial devido à pandemia provocada pela Covid-19. Como sustentar a articulação de projetos e pessoas (docentes, discentes e familiares, funcionários e parceiros gestores)? Nos contextos social (na instituição PUC-SP e em seus desdobramentos no cenário nacional) e grupal-comunitário (o curso e seus diferentes agrupamentos), instalou-se o desafio de realizar a leitura dos acontecimentos e não perder de vista a construção coletiva.

Vivendo a implantação de um novo projeto pedagógico de curso, gestado por anos e ainda demandando acertos, o desafio de lidar com a comunicação remota se impôs, contando com a inesperada necessidade de apropriação dos instrumentos tecnológicos... sempre um processo. Uma chamada para viver a espontaneidade-criatividade nas relações, tendo presente que é fundamental considerar conjuntamente projetos (para onde vamos) e pessoas (com quem estamos). Empenho em colocar-se no lugar do outro.

Como psicodramatistas, as técnicas básicas procedentes da matriz de identidade que marcam a intervenção da direção no contexto dramático tornam-se modos de relação a ser cultivados, seja no cotidiano, seja nos eventos promovidos: fazer e buscar duplos, atravessar "espelhos" e cultivar a disponibilidade para aproximar-se do mundo do outro. Algumas perguntas favorecem o processo: de que lugar esse outro fala? Qual é o sentimento presente? Posso sentir com? Se *tele* é espontaneidade-criatividade nas relações, como posso me aproximar, revelar-me e buscar conexões? Um jogo de alquimia transformadora no "com-tato" corporal-relacional.

Vejamos agora a experiência como docente em sala de aula. No foco socioeducacional, em que a responsabilidade primeira é a relação do "aprendente" com a cultura, com as áreas do saber, também há lugar para o emergente temático ou relacional – daí a importância da abertura do(a) psicodramatista para ler o que acontece na escolha das propostas de ação – sempre uma coconstrução.

Já no foco psicoterápico, a responsabilidade primeira é com a saúde (bem-estar) da pessoa ou do grupo; assim, o chamado para a intervenção é geralmente o sempre emergente, isto é, o que é trazido como experiência – situações pessoais-relacionais. Costumo me valer da contribuição dos conceitos da Gestalt – figura e fundo – para diferenciar os focos: no psicoterápico, estão em jogo, como *figura*, a pessoa e sua história, sua *saúde*, e, como *fundo*, a aprendizagem existencial sobre si mesma, o outro, a vida; no socioeducacional, estão em jogo, como *figura*, a *aprendizagem* de várias ordens, na relação com os saberes, e, como *fundo*, a *saúde* – possibilitar experiências integradoras, articuladas ao que vive em seu cotidiano. Considerando o contexto (o onde/lócus) e o contrato (o para que estamos aqui e como queremos estar aqui), saber articular as palavras-chave apontadas nos dá a todos o *status* de socionomistas.

No manejo das ferramentas de ação morenianas e pós-morenianas, o psicodrama, como método, explora papéis privados e se caracteriza como instrumento privilegiado do psicoterapeuta no *setting* clínico, mas não é único nem exclusivo. Nos contextos escolar, organizacional e comunitário, mesmo diante de um papel social focado – profissional, familiar, estudantil, de cidadão – os temas se concretizam em experiências vividas. A habilidade do trabalho no foco socioeducacional é contemplar a experiência que surge de um participante ou de um grupo no contexto explorado, mas sem perder de vista a importância de remeter à temática em foco, aos *socius*, à dimensão coletiva que resulta em aprendizagem de todos(as): sociopsicodrama encampando protagonização psicodramática inicial, que pode caminhar para um sociodrama e, conforme o contrato, para o *role-playing*. Vamos aos recortes anunciados.

AINDA NO PRESENCIAL

Curso de Pedagogia: na unidade temática "Educação e relações étnico-raciais", a experiência de viver um jornal vivo temático para explorar a questão da negritude e das "escravizações" que ainda persistem nas desigualdades e preconceitos presentes na sociedade brasileira. Em um grupo de 17 alunas e apenas duas estudantes de ascendência negra, o estar diante de recortes de jornal que abordam o tema, a escolha individual de artigos e a formulação de manchetes... A partir daí, a escolha de um artigo de autoria de Djamila Ribeiro e a importância de trazer a voz oprimida. Na dramatização em que se concretiza "a Opressão" em diferentes personagens, falas libertadoras surgem, experiencia-se a descolonização do imaginário nas trocas de papéis e no resgate da própria palavra!

EM COMUNICAÇÃO REMOTA

Curso de especialização em Gestão Educacional e Escolar, disciplina "Coordenação pedagógica, orientação educacional e a organização do trabalho na escola". A experiência de viver a construção de um personagem imaginário e sua rede de papéis para abordar a temática das relações socioeducativas. O personagem disparador é um estudante que chega depois de iniciado o curso. Atributos pessoais são delineados e anotados; no grupo de 20 alunos (homens e mulheres), uma das mulheres – como "protagonista didática" – se disponibiliza a ser "Fernando". Os membros do grupo vão assumindo, no plano imaginário, os papéis complementares dos territórios familiar, profissional, das amizades, do lazer, da vida espiritual, política. Os "egos auxiliares" vão se posicionando no espaço imaginário em situação de maior proximidade ou distanciamento. A partir das caracterizações já feitas, imaginam-se em maior ou menor proximidade em relação a "Fernando" e expressam, com gestos e falas, como se percebem na relação. Um recorte na rede de papéis que se forma foca em um contexto escolhido pela protagonista – o didático – e uma dramatização acontece... Ocorrem repercussões em outros papéis, e no sair de "cena" são outras mensagens que aparecem... reconfiguração das proximidades e distanciamentos iniciais.

O saldo final, diante da questão "o Fernando em mim", traz aberturas para a maior compreensão dos fenômenos relacionais, interpessoais, grupais e institucionais estudados (Marino, 1998-1999).

Na *live*, ainda mencionamos mais uma experiência no campo da *educação não formal*, a partir de trabalho realizado no Centro Cultural São Paulo. Tempo e espaço nos limitam aqui. Trago, assim, o depoimento de uma participante – ex-metalúrgica que viveu o período sombrio da ditadura e hoje é educadora social: "Não vamos deixar a democracia morrer! É preciso valorizar as associações, participar das redes que nos dão suporte!" A fala da direção vem em seguida: "Utopia não é o que não pode acontecer, mas o que ainda não tem lugar" (Marino, 2019, p. 77). São palavras que nos alimentam diante da consciência social e política.

SAINDO DE CENA

Fica a ponderação de que somos corresponsáveis pela coexistência em nossa condição humana! Educação é caminho para vencer a "barbárie". Assim, cabe *agradecer* à Vida e *esperançar* a História nos gestos, palavras e ações de cada dia!

REFERÊNCIAS

Charlot, B. "O 'Filho do Homem': obrigado a aprender para ser (uma perspectiva antropológica)". In: *Da relação com o saber – Elementos para uma teoria*. Porto Alegre: Artes Médicas, 2000.

Delors, J. (org.). *Educação – Um tesouro a descobrir*. Relatório para a Unesco da Comissão Internacional sobre Educação para o século 21. Brasília: MEC/Unesco/Cortez, 1999.

Fava, S. *et al.* "Educação em cocriação". In: Fleury, H. J.; Marra, M. (orgs.). *Intervenções grupais na educação*. São Paulo: Ágora, 2005.

Freire, P. *Pedagogia da esperança – Um reencontro com a pedagogia do oprimido*. 12. ed. Rio de Janeiro: Paz e Terra, 2005.

Marino, M. J. "O grupo no processo educativo". *Linhas Críticas*, v. 4, n. 7-8, jul. 1998-jun. 1999, p. 87-97.

______. *O acontecimento educativo psicodramático: encontro entre Heidegger, Moreno e uma psicodramatista educanda/educadora*. Dissertação (mestrado em Educação), Pontifícia Universidade Católica de São Paulo, São Paulo (SP), 1992.

______. *Vir a ser psicodramatista – Um caminho de singularização em coexistência*. Tese (doutorado em Psicologia), Pontifícia Universidade Católica de São Paulo, São Paulo (SP), 2002.

______. "Algo está no ar... Sociodrama no Centro Cultural São Paulo (CCSP)". In: Baggio, V. (org.). *DNA Educação*. 2. ed. Veranópolis: Diálogo Freiriano, 2019, v. 5.

Moreno, J. L. *Quem sobreviverá? – Fundamentos da sociometria, psicoterapia de grupo e sociodrama*. v. 1. Goiânia: Dimensão, 1992.

Morin, E. *Os sete saberes necessários à educação do futuro*. 11. ed. São Paulo: Cortez; Brasília: Unesco, 2006.

10. Psicodrama bipessoal *online* – Será que dá?

Rosa Cukier

Este é o relato da minha primeira palestra realizada ao vivo pela internet, popularmente chamada de *live*, ocorrida no dia 8 de maio de 2020, bem no comecinho da pandemia de Covid-19. Adelsa Cunha, presidente da Sociedade de Psicodrama de São Paulo (SOPSP), me ligara uns dias antes propondo o evento. Foi uma grande honra e uma enorme responsabilidade, pois estávamos todos chocados e havia um clima de urgência e catástrofe no ar.

Eu havia elaborado uma apresentação em PowerPoint para meus supervisionandos, muitos inseguros diante da possibilidade de ter de trabalhar com psicodrama terapêutico pela internet. As dúvidas eram inúmeras: como dramatizar *online*? Como trabalhar sem contato visual, sem olhar o corpo, sem movimento, apenas um rosto numa tela?

Minha experiência de trabalho online era restrita a três ou quatro clientes que haviam se mudado para o exterior. Eu já havia lido artigos internacionais e orientado um trabalho sobre essa modalidade de psicodrama, mas nunca imaginei trabalhar o tempo todo assim. Meu consultório é colorido, com almofadas, máscaras, palquinho... Adoro o movimento que ele permite e que torna meu trabalho tão dinâmico.

Sou uma pessoa muito boa para enfrentar crises. Na hora do fogo eu ajo, ajudo todo mundo e depois fico doente. Foi isso que fiz na pandemia: comecei a trabalhar imediatamente, não desmarquei nenhuma sessão nem perdi nenhum cliente.

Eu já tinha uma sala paga num aplicativo chamado Whereby, na qual atendia as pessoas que moravam no exterior. Sabia um pouco das questões de segurança e da importância de criar um ambiente seguro, sem a influência de pessoas da casa do cliente ou do terapeuta. Mas não tinha a menor ideia de como compartilhar tela nem de como usar o Google Meet. Enfim, treinei antes com a querida Cleide Braga, da SOPSP, e cheguei com a cara e a coragem, com frio na barriga e medo de dar vexame (eu tenho medo, acreditem!). Temi que as coisas não funcionassem, mas funcionaram! Comecei a passar os *slides* e fui falando concomitantemente. A seguir descreverei a apresentação em tópicos.

LOCAL DE ATENDIMENTO: O *SET* TERAPÊUTICO

A terapia *online* marca uma mudança importante no *set* terapêutico, que não se dá mais no consultório do terapeuta e sob seu controle exclusivo. O ambiente agora é controlado por ambos os lados da relação e muito mais íntimo. É fundamental descrever para o cliente as condições de privacidade do local de onde conversamos com ele e reassegurá-lo do sigilo. Igualmente importante é perguntar de sua privacidade no local em que está. Tomei por hábito passear com a câmara no meu escritório, mostrando as portas fechadas, e perguntar ao cliente, muitas vezes a título de um jogo de apresentação, como a porta da sua sala o protege dos ouvidos alheios, que objetos são importantes e de que forma refletem sua personalidade etc.

Porta-retratos me descreveram pessoas e relações importantes, livros me informaram de interesses novos, objetos contaram histórias de encontros amorosos. Essa é uma forma lúdica e fácil de tornar os ambientes da minha casa e da casa do cliente mais próximos e conhecidos, além de garantir condições mínimas de um atendimento profissional privado e eficiente.

COM CÂMERA OU SEM?

É importante saber que tipo de sistema de atendimento o cliente prefere: se quer ser visto através do vídeo ou só falar, sem a câmera ligada. Tive uma paciente que se sentia pouco à vontade com a câmera e passou uns dois meses sendo atendida só com o áudio ligado. Aos poucos foi se acostumando e permitiu que eu a visse, e até se familiarizou com o aplicativo e começou a usá-lo em encontros com amigos. Nas situações de consultório não fitamos o cliente o tempo todo, e, para as pessoas com uma estrutura mais paranoide, pode ser bem incômodo se sentir olhado tão de perto.

TECNOLOGIA

Como comentei, utilizo o aplicativo Whereby. Pago cerca de R$ 60,00 por mês para uma sala de 12 pessoas. A sala tem meu nome, é sempre a mesma (o mesmo *link*), posso atender quando e por quanto tempo quiser. Essas condições me servem bem, mas há muitos outros aplicativos, alguns sem custo. O importante é verificar a questão da criptografia, ou seja, da proteção dos dados sigilosos do cliente. Muitas vezes o *wi-fi* de uma das partes trava, e aí é preciso avisar que teremos de interromper a transmissão e então retornar. Na primeira semana da pandemia fiz uma plaquinha que eu exibia, pela câmera, com os dizeres: "Sai e entra novamente". Todo mundo aprendeu rápido.

ESTAR PRESENTE

Estar presente com uma escuta ativa e focada é mais difícil *online*, por causa das inúmeras variáveis envolvidas. Precisamos exercer um papel de terapeuta mais ativo, a fim de mostrar ao cliente as possibilidades de trabalho.

Faz-se necessário, por exemplo, desconectar o ego observador – tanto o nosso quanto o do cliente. A tela dos aplicativos costuma mostrar a imagem de ambos, o que é muito diferente de uma conversa normal, na qual só vemos o cliente e não há um espelho que nos reflita o tempo todo. Ficar olhando para si mesmo pode levar à perda da espontaneidade e estimular um lado crítico desnecessário, do tipo: meu cabelo está feio, estou com olheiras etc. No atendimento *online*, sugiro focar a câmara só no cliente. Isso nos ajuda a prestar mais atenção nos detalhes do gestual e da face, além de desconectar esse nosso papel de observador de nós mesmos.

AQUECIMENTOS

O aquecimento verbal começa tão logo a conexão na tela ou áudio é feita. "Oi, como vai?" e "Como está vivendo a quarentena?", por exemplo, são formas coloquiais de se iniciar um contato. O cliente também quer saber de nós, e, devido à pandemia, acho bom reassegurá-lo de que estamos bem e disponíveis para ele.

Cliente e terapeuta podem e devem se movimentar – é possível sugerir ao cliente que se levante da cadeira (e nós nos levantamos junto), fique com o corpo todo focado na câmera, se alongue e se aqueça corporalmente. É importante fazer junto com ele esses movimentos e mostrar-lhe que ele não precisa ficar estático. Podemos girar a cadeira da direita para a esquerda, girá-la até ficar de costas para o cliente (ou vice-versa), afastar-nos um pouco da tela para não olhar e ser olhados muito de perto etc. O cliente não sabe disso; devemos ensiná-lo por meio de jogos e aquecimentos.

ANSIEDADE E PERIGO

Nesta pandemia, estamos todos mergulhados numa ansiedade situacional, que está ligada ao desconhecido e ao perigo. Não sabemos quem está doente – experimentamos medo uns dos outros; tampouco sabemos se nós estamos doentes – certa hipocondria e estado de alerta para pequenos sintomas corporais tornou-se normal. Como ficará o mundo e como nós ficaremos em termos financeiros, de trabalho, de projetos? São imensuráveis as situações desconhecidas. O terapeuta precisa cuidar bem de sua ansiedade a fim de conter a do cliente.

MEDO E ANSIEDADE

O medo e a ansiedade são estados psicológicos, fisiológicos e comportamentais induzidos em animais e humanos diante da ameaça, real ou potencial, ao bem-estar ou à sobrevivência. Caracterizam-se pelo aumento da excitação, da expectativa, da ativação autonômica e neuroendócrina e por padrões de comportamento específicos. A função dessas mudanças é facilitar o enfrentamento de situações adversas ou inesperadas (Steimer, 2002). Em uma pandemia, temos pouco controle da situação, o que exacerba nosso sentimento de ansiedade. O que podemos fazer é tomar as precauções e os cuidados que as autoridades sanitárias nos estão orientando a tomar: isolamento social, uso de máscaras, ventilação etc.

NOVA ROTINA SEMANAL

Isolados em casa, nós e nossos clientes, podemos ficar desorientados e um pouco imobilizados demais. É importante manter uma rotina que lembre nosso cotidiano. Por exemplo: exercício físico de manhã, trabalho, hora do almoço, jantar, lazer, sono etc. Diferenciar tarefas por dias da semana também é aconselhável, por exemplo: faxina na segunda, filmes no domingo etc.

Diversos manejos são possíveis para a ansiedade situacional provocada pela pandemia. Vejamos quatro deles:

FALAR SOBRE A ANSIEDADE

Ouvir o cliente com uma escuta empática, atenciosa e continente é a primeira tarefa da nossa psicoterapia. Em copo cheio não entra mais nada, por isso precisamos cuidar bem da nossa ansiedade para conseguir conter a do cliente.

APLACAR A ANSIEDADE

Alguns clientes sofrem mais com a ansiedade situacional da pandemia, pois ela exacerba quadros ansiosos, fóbicos e/ou paranoicos preexistentes, exigindo ajuda medicamentosa eventual. Tive dois clientes mais reativos: um que não saía do próprio quarto e outro que não suportava conversar com a câmera ligada. Ambos melhoraram em cerca de duas semanas. Relaxamentos, respiração guiada e aplicativos de meditação, como o Headspace, costumam ser úteis. No caso de clientes mais ansiosos, sugiro fazer mais sessões semanais ou dividir a sessão semanal em duas de 30 minutos. Isso para ficar mais presente e com mais capacidade de escuta continente.

TRABALHAR LUTOS

Muitas pessoas estão vivendo perdas reais de parentes, amigos e artistas estimados sem a possibilidade de elaboração ou de despedida. Às vezes a perda não é real: é o medo desta que acaba virando uma ideação recorrente e amedrontadora. O psicodrama nos permite trabalhar todas essas situações de forma virtual com técnicas relativamente simples:

- Cadeira vazia. Tenho uma cadeirinha de plástico que mostro aos clientes através da câmera e peço que sentem nela a pessoa com quem têm algo a resolver, a falar, a chorar.
- Escrever cartas. Posso pedir que cartas sejam escritas, que diálogos inteiros se façam por meio de uma simples inversão de papéis (peço para virar a cadeira para o lado direito e ser a pessoa A, e depois virar para o esquerdo e ser ela mesma).

- Cenas temidas. Peço que o cliente imagine o que de pior pode acontecer e de que tipo de ajuda necessitaria. Tornamos o futuro presente e ajudamos o cliente no aqui e agora.
- Lutos reais. Podemos organizar velórios e enterros simbólicos, tanto utilizando o psicodrama interno quanto desenhos que nos mostrem o túmulo, a lápide, a reza a ser feita – não há limites para aquilo que a realidade suplementar do psicodrama possa sugerir.

LOCALIZAR A ANSIEDADE NO CORPO

- Gosto de pedir que o cliente localize o mal-estar que sente (a que chama de ansiedade[1]) no próprio corpo. A técnica da entrevista me permite, então, explorar essa sensação: onde ela fica no seu corpo? O que faz com você? Maximize-a. Se seu corpo inteiro fosse essa sensação, seria um(a)...? Logo o cliente me dá uma metáfora, um bicho, uma pedra... Então, depois desse aquecimento, pergunto-lhe quando e para quê se sentiu assim na vida. É a técnica do personagem, um jogo elaborativo que adoro; aprendi-o com Dalmiro Bustos o e descrevo no finzinho do meu livro *Psicodrama bipessoal* (Cukier, 1992). Talvez a pior escolha para trabalhar as questões referentes à ansiedade seja perguntar diretamente ao cliente o que essas sensações lhe lembram. A resposta do cliente acaba sendo racional, uma justificativa lógica para a vivência caótica. O melhor é amparar as sensações no corpo, como vimos.
- Concretizar a relação com o coronavírus nas próprias mãos. Nossas mãos são ótimos egos auxiliares *online*. Com elas podemos concretizar nossa relação com o vírus, o que ele faz conosco, o que queremos fazer com ele e o que isso nos lembra (indo para o psicodinâmico).

---

1. É sempre surpreendente a quantidade de significados implícitos na palavra ansiedade.

- Cenas temidas: o psicodrama interno é um ótimo recurso para trabalhar com os piores cenários que aterrorizam nossos clientes e investigar se algo semelhante já lhes ocorreu de fato na vida. Frequentemente emergem cenas infantis, de tempos em que uma criança impotente vivia algum tipo de abuso físico, emocional, social etc. Um cliente meu, por exemplo, trabalhou o medo da morte dos pais que estão no Nordeste. Ele descreveu o medo, entrou nas sensações físicas que a vivência lhe produzia, lembrou de ter presenciado, com 5 anos, a morte da avó paterna e o desespero do pai naquele momento. Fizemos um trabalho de cena regressiva, que levou algumas sessões para ser concluído. Ali ele pôde comparar seus recursos atuais para lidar com a dor com aqueles que tinha aos 5 anos de idade, além de ressignificar e dar continência à sua dor infantil.

São vários níveis de trabalho acoplados e que vão se sucedendo de acordo com a necessidade do cliente. Por último voltamos à cena atual, em que tudo o que se passa é o medo de algo se passar. Trabalhamos, então, os recursos reais que o cliente acha que precisa ter à mão para se sentir seguro se algo assim ocorrer. Por exemplo, uma lista de telefones dos familiares, do aeroporto, do médico etc.

MINHA FORMA DE TRABALHAR COM PSICODRAMA BIPESSOAL PRESENCIAL E *ONLINE*

Já tenho uma forma bem estruturada de trabalhar no *set* bipessoal presencial, e creio que ela me ajuda na modalidade *online*. Assim, descreverei brevemente essa minha forma de trabalhar.

Antes, preciso ressaltar alguns postulados muito importantes:

1. Entendo o psicodrama como uma psicoterapia inter-relacional.

2. O adoecimento emocional é abordado por mim de forma sistêmica e sociométrica.
3. A relação terapêutica é muito importante e se baseia em papéis complementares assimétricos, com diferentes responsabilidades. Essa relação se estabelece através de um contrato com normas: local, horários, preço etc. Fico muito atenta a esse contrato.
4. As técnicas utilizadas são importantes, mas como instrumentos subordinados à relação terapêutica.

Desde o início da terapia, o meu objetivo é estabelecer uma relação terapêutica que facilite a ação dramática. Procuro mostrar ao cliente que trabalhamos com uma técnica de ação e que ele não deve esperar que eu vá mudar a vida dele com um *insight* ou uma fala mágica. Ao contrário, qualquer mudança exigirá muito trabalho.

Minha intenção é estimular a dramatização, não só porque gosto de dramatizar, mas por acreditar que ela promove a integração das várias camadas cerebrais, evitando racionalizações estéreis. Segundo Peter Levine (1999), o cérebro é formado por três camadas filogeneticamente acrescidas: a mais antiga é o cérebro reptiliano, responsável pela memória das sensações, pela sobrevivência da espécie, pelas respostas de luta, fuga e/ou congelamento, extremamente importantes nas situações de trauma.

Depois temos o cérebro límbico, que compartilhamos com todos os mamíferos. Ele é responsável pelas memórias afetivas e de emoções; a amígdala, uma de suas porções, funciona como uma central de alarme que libera neuro-hormônios como adrenalina, noradrenalina e outros que preparam o corpo para lutar ou fugir se necessário.

Por último temos a camada do neocórtex, tipicamente humana, que performa nossas habilidades cognitivas de linguagem, o pensamento lógico-racional etc. Nas situações traumáticas (90% daquelas que vemos no consultório), o neocórtex fica entorpecido, prejudicando a memória factual e verbal. A dramatização possibilita, através da montagem das cenas, das inversões de papel e demais técnicas, uma segunda vez, como dizia Moreno. Esse revisitar da cena traumática permite que se acionem as memórias emocionais (cérebro límbico) e um reviver das ações de sobrevivência possíveis no momento do trauma (cérebro reptiliano). Já a realidade suplementar permite que fechemos a Gestalt da situação, estimulando que a ação faltante de luta-fuga aconteça no cenário dramático.

A seguir explico resumidamente minha forma de atendimento presencial; quando necessário, acrescentei adaptações para o enquadre *online*.

Faço três entrevistas antes de começar o processo terapêutico. Duas verbais, seguindo uma anamnese básica (Cukier, 2018, p. 104), e um átomo social, em que já apresento o psicodrama ao cliente. Acredito que o átomo social seja uma técnica ótima para exemplificar, com sua movimentação e suas inversões sucessivas, nossa prática clínica, e costumo pontuar isso para o cliente. Além dessas entrevistas, realizo um apanhado breve, uma devolutiva do que pensei diagnosticamente e um contrato terapêutico. Nesse contrato costumo explicar ao cliente que dali para a frente não precisarei lhe perguntar mais nada; ao contrário, ele terá de me dizer o que pensa em trabalhar a cada sessão. "O seu trabalho é me trazer um trabalho", digo de forma jocosa, mas com a intenção de marcar esse ponto.

Na primeira sessão, assim que o cliente chega e depois das perguntas coloquiais sobre como está, como foi sua semana, como está vivendo a pandemia, pergunto o que ele quer trabalhar hoje[2]. Se o cliente não souber, proponho-me a ajudá-lo utilizando algum jogo exploratório (Cukier, 1992). O que quero

2. Essa pergunta introdutória tem muitas variações: como posso ajudá-lo hoje? De que ajuda você precisa nesta situação que acabou de descrever?

nesse momento é ter um cliente responsável[3] pelo tema da sessão, exatamente como ele é responsável pela própria vida.

No enquadre *online* não é diferente. Se o cliente não tiver um tema principal, peço-lhe que feche os olhos e revise momentos de sua semana. Quais deles gostou de viver e quais gostaria de apagar ou modificar? Todos os jogos exploratórios podem ser adaptados *online*.

Esse papo coloquial de início e a utilização de jogos exploratórios para a escolha de um tema correspondem à etapa do aquecimento, fundamental em qualquer enquadre. No psicodrama bipessoal individual, muitas vezes o terapeuta pula o aquecimento para ter mais tempo para a dramatização, e essa economia pode resultar numa cena vazia ou numa dramatização sem emoção.

Seja o atendimento *online* ou presencial, é sempre possível pedir ao cliente que se levante, se espreguice (e nós, terapeutas, o acompanhamos nesses movimentos), caminhe pelo espaço onde está, escolha objetos para representar situações que viveu durante a semana, temas que gostaria de discutir. Depois peço que escolha apenas um para se aprofundar nos nossos 50 minutos de sessão. Às vezes, sugiro um aquecimento mais emocional: fazer um carinho leve no próprio rosto e me dizer há quanto tempo não recebe um toque assim, de quem gostaria de receber ou a quem gostaria de dar etc.

Gosto de pedir que o cliente imagine, ao caminhar pelo espaço, um enorme cesto de lixo psicodramático do seu lado direito, onde ele pode jogar fora tudo que não quer na sua vida (inclusive o coronavírus), e, do lado esquerdo, um baú mágico de onde pode tirar todas as experiências que gostaria de vivenciar. Em

---

3. Penso que o cliente deve ficar responsável pelo tema da sessão e o terapeuta pela forma como vai ajudá-lo a investigar tal tema psicodramaticamente, seja usando um psicodrama interno, uma cena aberta, uma técnica de escultura etc.

seguida ele escolhe o que mais o mobilizou para trabalhar nesse momento da sessão.

Tenho também, no consultório, vários livros, puxa-conversas, figuras e fotos nos quais o cliente pode se projetar, escolhendo o que melhor o representa no momento. Na sessão *online*, podemos reproduzir alguns desses materiais – fotos e imagens, por exemplo –, pedir que o cliente desenhe ou que procure no Google uma imagem que represente o que sente agora etc. O importante é que ele escolha o tema da sessão e não deposite essa tarefa em nossas mãos.

Depois de escolhido o tema, sugiro que o cliente me diga quando essa situação aconteceu na última semana[4]. Monto o cenário e os personagens presentes na cena e começo a dirigir a dramatização, utilizando basicamente as técnicas de inversão de papéis, entrevista e espelho. No enquadre *online*, posso pedir que o cliente feche os olhos, imagine estar naquele cenário e comece a jogar o seu papel (sempre começo pelo cliente porque esse é o papel mais aquecido). Suas mãos, ou objetos presentes na mesa à sua frente, representam os demais personagens.

Costumo dizer aos meus alunos que minha terapia é troca-troca-espelho, ou seja, inverte e inverte papéis e depois olha de longe a cena. No espelho à distância, pergunto ao cliente: o que você precisa aí, que ajuda você quer? O cliente me orienta para o passo seguinte. Por exemplo, se ele me diz que precisa entender por que sempre reage assim, vamos para uma cena regressiva, um trabalho de cenas passadas em que essa mesma atitude que agora ele quer compreender já existia. Se, por outro lado, diz que gostaria de reagir diferente, podemos ir para uma cena em realidade suplementar, um *role-playing*. Por vezes, estimulo alguma associação de personagem que reage da forma como ele admira

---

4. O psicodrama pede associações seguindo a regra do recente para o antigo, do superficial para o profundo.

e peço-lhe que aja assim. Enfim, o meu cliente se apropria da sessão e me orienta quanto ao caminho a seguir.

Todas as técnicas clássicas são adaptáveis para o psicodrama *online*. O psicodrama interno é sempre muito útil; é sempre possível fechar os olhos e usar o cenário interno do cliente. Utilizar objetos auxiliares no lugar das almofadinhas é muito fácil também: "Seu pai está aqui no celular e sua mãe aqui no durex. Faça um diálogo entre eles que eu quero ouvir".

Utilizar nossas mãos e as do cliente como fantoches é bastante prático. Cada mão representa um personagem da cena. Também a posição do corpo do cliente pode ser manipulada: "Olhando para seu lado direito você é seu pai, e virando para a esquerda, sua mãe". Empregar a técnica da cadeira vazia, onde se pode sentar qualquer relação em que haja conflitos, costuma funcionar bem.

Utilizar metáforas para que o cliente fale de si é bem enriquecedor: "Se você fosse uma cadeira hoje, que tipo de cadeira seria? Uma cadeira de criança, uma cadeira de escritório, uma cadeira em chamas?"

Para trabalhar cenas regressivas *online*, utilizo um roteiro de perguntas (Cukier, 2018, p. 89). Tal roteiro visa pesquisar o lócus dos conflitos infantis. O psicodrama interno é uma das técnicas que mais uso para que a cena seja visualizada, detalhando o espaço onde ela ocorre e os personagens presentes. Depois, peço ao cliente que assuma o papel infantil e vou, por meio da entrevista, pesquisando suas dores e defesas. Quando o tempo da sessão se esgota, posso pedir que o cliente preencha o resto da entrevista em casa, mas é melhor fazer junto com ele, ao vivo, pois o aquecimento precisa ser mantido para que não venham apenas respostas muito racionais e pouco afetivas.

Enfim, observo que a grande questão sobre dramatizar não é a diferença de *setting online* ou presencial, mas dúvidas genéricas sobre como dirigir um psicodrama. E essa é uma desenvoltura que se ganha caso a caso, supervisão a supervisão. O psicodrama nos oferece muitos recursos.

Precisamos, neste momento de pandemia e atendimento *online*, cuidar basicamente da nossa ansiedade, para não ficar paralisados e atribuir essa paralisia aos clientes ou ao enquadre *online*. Temos, sem dúvida, de aprender a manejar aplicativos novos e o computador em suas múltiplas variantes, mas mantendo nossa espontaneidade e criatividade ativas, tudo é possível. Sugiro que topem o desafio. Vale a pena!

REFERÊNCIAS

Cukier, R. *Psicodrama bipessoal – Sua técnica, seu cliente e seu terapeuta.* São Paulo: Ágora, 1992.

______. *Vida e clínica de uma psicoterapeuta.* São Paulo: Ágora, 2018.

Levine, P.; Frederick, A. *O despertar do tigre – Curando o trauma.* 4. ed. São Paulo: Summus, 1999.

Steimer, T. "The biology of fear-and anxiety-related behaviors". *Dialogues in Clinical Neuroscience*, v. 4, n. 3, 2002.

11. Navegar é preciso... *E la nave va*

Yvette Datner

O TEMPO E O espaço nos deslocam, compondo uma pauta da transformação. O ato de deslocar e deslocar-se aciona a espontaneidade e a criatividade que geram o novo. O novo que está em nós, reverberando nos espaços, na teia das relações. Esse vibrátil nos impele a olhar para o depois e dar as mãos a todos os que couberem no espaço do caminhar.

A proposta de jogo dramático aqui apresentada, *E la nave va*, foi criada para proporcionar a grupos uma travessia coletiva em ambiente pouco usual e em papéis nada convencionais e não desenvolvidos.

Surgido originalmente em 2002 e publicado no livro *Jogos para educação empresarial* (Datner, 2006), ele foi reinventado em 2020 para plataformas *online* em função das circunstâncias planetárias da pandemia da Covid-19. E, então, se transformou em uma das *lives* em comemoração aos 50 anos da Sociedade de Psicodrama de São Paulo (SOPSP).

POR QUE O TÍTULO *E LA NAVE VA*?

A imagem inicial do filme homônimo de Federico Fellini, fonte de inspiração para o jogo, mostra em preto e branco viajantes subindo a bordo de um navio, reunindo-se para o funeral de uma cantora de ópera recém-falecida.

Abrindo em tom sépia e mudo, o filme vai se colorindo com os eventos festivos e descontraídos a bordo. Essa mudança de cenário – do sombrio e pesado para o leve e colorido, do silêncio para as vozes, os sons e a música – levou-me a criar um jogo que caminha do presente nebuloso e soturno para um possível futuro gracioso e multicor. Em 2020, era isso que estávamos vivendo: escuridão/claridade, tristeza/alegria, descrença/fé, medo/esperança. Tantos opostos...

A proposta, então, era viver o horizonte com sol, céu azul, cores, vida – e não morte.

Tratava-se, sem dúvida, de *sociodrama*: o grupo era protagonista, pois todos jogaram o jogo. Era ainda um *jogo dramático*, pois todos assumiram papéis complementares de ação de forma lúdica, surpreendente, nova, descontraída, alegre, divertida. Enfim, tínhamos os jogadores (*players*) e seus papéis (*roles*): *role-playing*.

RELATO

APRESENTAÇÃO

A unidade funcional Yvette Datner e Cleide Braga se apresentou e fez uma breve introdução sobre o título do jogo, deixando no ar certo mistério.

AQUECIMENTO INESPECÍFICO

Realizamos um aquecimento corporal com os participantes na cadeira ou andando em torno dela, respirando e deixando fluir imagens de portos e de partidas. Isso preparou o aqui e agora para as cenas de ação. As pessoas foram convidadas a deixar para trás um porto velho, decadente, e embarcar em um belo navio para singrar mares na busca criativa de um lugar ainda desconhecido, mas iluminado. O contrário do velho embarcadouro descaído e quase morto.

Na tela, um belo navio de cruzeiro. Alguns disseram que partiriam de barquinho, de canoa; outros, de caravela ou jangada.

Muitos risos. Percebia-se a influência de jogos corporativos cuja vivência é composta de desafios muitas vezes absurdos, o que dá vazão ao negativo.

Os participantes foram convidados a embarcar com o essencial e receberam o número de sua cabine. O fato de haver cabines numeradas e a imagem da embarcação moderna de vários andares fez que a maioria concluísse que seriam passageiros, repetindo a conserva cultural, o aprendido conservado: se estamos em um navio, só podemos ser passageiros – passivos. Essa manifestação gerou uma discussão interessante sobre conserva cultural, papéis, repetição de enredos. De repente, a indignação se manifestou: "Onde estão os marinheiros e o pessoal de bordo? Estou com fome..."

Foi a deixa para que o grupo fechasse os microfones e os olhos e se imaginasse na embarcação, no convés, na sala das máquinas, na cabine etc. Então o jogo de fato se iniciou, com a seguinte consigna: "Não há passageiros – vocês são a tripulação que deve conduzir este navio a um bom porto. Vocês terão de assumir os papéis e funções que levem o barco a seu destino".

No *chat*, colocamos as diversas funções presentes em uma embarcação e a lista de tarefas relacionadas a estas. Depois de um momento de silêncio, as escolhas se fizeram e pedimos que cada membro do grupo descrevesse seus objetivos e ações na viagem. Houve disputas, mandos e silêncios, mas ao fim todos se acomodaram – não antes de falas como: "E eu que pensei que ia ser passageiro..."

Comecei então a direção psicodramática do grupo para que todos assumissem seus papéis, conduzissem a embarcação e chegassem ao seu objetivo. Para tanto, era preciso vivenciar tais papéis, dialogando entre si. Aos poucos, surgiram a interação, a complementaridade e as ações, com comportamentos experimentados de várias formas, pois no "como se" o imaginário se torna real e tudo é possível naquele contexto e cenário. Apareceram as figuras do sério, do autoritário, do brincalhão, do ingrato, do traidor, do líder... Todos puderam imaginar e criar espontaneamente.

AQUECIMENTO ESPECÍFICO

Todos eram protagonistas. A diretora repetiu: "Não há passageiros – vocês são a tripulação que deve conduzir este navio a um bom porto. Vocês terão de assumir os papéis e funções que levem o barco a seu destino".

CENA 1

Os participantes se organizaram, formaram equipes, afinal havia turnos. Rapidamente pensavam e falavam, quase todos juntos, em alimentação, segurança, navegação. Discutiram, discordaram, concordaram, cederam, se arrumaram.

CENA 2

As pessoas se escolheram, convidaram umas às outras, aceitaram ou não os convites, formaram equipes, até rivalizaram. Surgiram manifestações e reações espontâneas.

CENA 3

Zarpar! Levantar âncoras! Todos a postos navegando! *E la nave va.*

Navio singrando mares, mas para onde? Definição difícil e discutida. Citaram-se muitos lugares. Segundo a direção, tratava-se de um lugar totalmente desconhecido, mas moderno, com tudo aquilo de que necessitassem.

Os participantes mostraram-se, então, em uma relação de rede mais densa, uns mais próximos, outros mais distanciados. Formando um coletivo com objetivos comuns, foram expressando liderança, várias dimensões dos papéis e perfis os mais diversos, gerando situações ridículas, sérias, alegres, até indignadas. Nas discussões, a necessidade de ceder; uns ocuparam espaços, outros se quedaram quietos, mas todos desempenharam sua função para levar a embarcação a bom termo. O grupo rumou para o incerto. O real coloriu a fantasia e a imaginação alterou o real.

CENA 4

Durante a travessia, os deuses gregos Zeus, Hermes, Afrodite, Ártemis, Poseidon, Atena e Apolo – mostrados na tela um a um, mas assumidos pela ego auxiliar Cleide – apareceram para provocar, desafiar, gerar tempestade, ciúmes, medo, força, música, poesia, emoção, sedução, raiva, coragem, amor... Emoções as mais diversas.

Com o apoio de alguns desses deuses, o grupo se fortaleceu para enfrentar as vicissitudes. O mar, o céu, as ondas, gaivotas, baleias, tubarões, peixes, o grupo no navio e os deuses compuseram o cenário em busca do futuro.

CENA FINAL

Quando a embarcação aportou, os participantes descreveram o lugar. Como a vivência se tornou muito individual, com poucos encontros, a unidade funcional Yvette-Cleide pediu que as pessoas elaborassem um espaço mais comum, coletivo. Depois de alguns movimentos, finalmente se criou um bom lugar para viver, com natureza e languidez. Nem se falou em trabalho nesse novo espaço de vida!

COMPARTILHAR

O compartilhamento foi bastante intenso, alegre e dinâmico, com trocas e reflexões sobre sentimentos e emoções gerados nos participantes.

PROCESSAMENTO: REFLEXÃO DA DIRETORA

O imaginário impossível se torna possível no lúdico psicodramático, sendo vivenciado como realidade no aqui e agora. Durante duas horas, *E la nave va* ofereceu uma sucessão de ações em papéis nunca vivenciados, em que o lúdico, como dizia S. Tomás de Aquino, recriou as forças da alma, soltando a imaginação e a criatividade.

A escolha de um grande navio foi intencional e visava possibilitar que o grupo enfrentasse grandes profundidades. Propor um barco tosco geraria insegurança e medo, muitas vezes objeto de jogos corporativos que acreditam somente na vivência do precário como alavanca de mudança e crescimento pessoal. O desafio estava ali, mas o objetivo era atravessar mares e oceanos em segurança.

Como o jogo foi realizado de forma virtual, a direção teve de ser mais assertiva. Ao longo da vivência, trabalhamos com procedimentos do psicodrama, do sociodrama e dos jogos dramáticos, utilizando as seguintes técnicas: solilóquio, inversão de papéis e rotação de papéis.

REFERÊNCIAS

DATNER, Y. *Jogos para educação empresarial*. São Paulo: Ágora, 2006.

Os autores

ADELSA MARIA ALVAREZ LIMA DA CUNHA

Psicóloga, psicodramatista didata supervisora, especialista em Psicologia Clínica pelo CRP/SP e em Terapia de Casais pelo Instituto J. L. Moreno de Buenos Aires, Argentina. Organizadora e coautora do livro *Por todas as formas de amor – O psicodramatista diante das relações amorosas* (Ágora, 2014) e coautora do livro *Sociodrama – Um método, diferentes procedimentos* (Ágora, 2010) e de outras publicações. Professora e supervisora em cursos de formação em Psicodrama. Presidente da Federação Brasileira de Psicodrama (Febrap) na gestão 2009-2010 e presidente do 18º Congresso Brasileiro de Psicodrama.

E-mail: adelsacunha@gmail.com

ANA CRISTINA BENEVIDES PINTO

Psicóloga formada pela Universidade Federal do Ceará, psicodramatista nível III pela Sociedade de Psicodrama de São Paulo (SOPSP) e pela Federação Brasileira de Psicodrama (Febrap). Coautora dos livros *Histórias de um ex-obeso* (Manole, 1994); *Intervenções grupais na saúde* (Ágora, 2005) e *Psicodrama e emancipação – A escola de Tietê* (Ágora, 2009). Psicoterapeuta da Equipe Transdisciplinar de Tratamento da Obesidade do Centro de Tratamento e Integração do Ser (Centiser), Fortaleza (CE).

E-mail: anacristina@centiser.com.br

DENISE SILVA NONOYA

Psicóloga. Psicoterapeuta, psicodramatista didata supervisora e consteladora familiar sistêmica. Especialista em: Psicologia Social e do Trabalho; Análise Transacional; Psicologia Clínica e Antroposofia; História do Negro no Brasil. Atuou como psicóloga na Universidade Estadual Paulista (Unesp). Coautora do livro *Psicodrama em espaços públicos – Práticas e reflexões* (Ágora, 2014) e autora, entre outros, do capítulo "O complexo de vira-latas do brasileiro: uma visão psicodramática" do livro *Psicodrama e relações étnico-raciais*, organizado por Maria Célia Malaquias (Ágora, 2020).

E-mail: deninonoya@gmail.com

ELISABETH SENE-COSTA

Médica psiquiatra e mestre em Ciências pelo Instituto de Psiquiatria do Hospital das Clínicas da Faculdade de Medicina da Universidade de São Paulo (IPQHC-FMUSP).

Psicodramatista didata supervisora pela Sociedade de Psicodrama de São Paulo (SOPSP) e diretora de psicodrama pelo Instituto J. L. Moreno de Buenos Aires, Argentina. Membro do Conselho Científico da Associação Brasileira de Familiares, Amigos e Portadores de Transtornos Afetivos (Abrata). Autora dos livros *Gerontodrama: a velhice em cena – Estudos clínicos e psicodramáticos sobre o envelhecimento e a terceira idade* (Ágora, 1998) e *Universo da Depressão – Histórias e tratamentos pela psiquiatria e pelo psicodrama* (Ágora, 2006). Autora e coautora de outros capítulos e artigos em livros e revistas especializadas de psiquiatria e psicodrama (Brasil, Londres e Istambul).

E-mail: sponteam@terra.com.br
Site: www.elisabethsene.com.br

LÚCIO GUILHERME FERRACINI

Psicólogo especialista em Psicologia da Saúde/Hospitalar, psicodramatista didata supervisor, formado em Cuidados Paliativos.

Mestre em Ensino de Ciências da Saúde pela Universidade Federal de São Paulo (Unifesp). Atualmente é professor-supervisor e presidente da Associação Brasileira de Psicodrama e Sociodrama (gestão 2019-2020 e 2021-2022). Psicoterapeuta em consultório particular, é docente do curso de Psicologia da FMU e coautor do livro *Psicodrama e relações raciais – Diálogos e reflexões* (Ágora, 2020). Presidente do 14º Congresso Iberoamericano de Psicodrama (2023).

E-mail: lucio_guilherme@uol.com.br

LUIZ CONTRO

Psicólogo, psicodramatista, doutor em Saúde Coletiva pela Universidade Estadual de Campinas (Unicamp). Atua como psicoterapeuta e assessora equipes em instituições e ONGs. Autor de artigos em periódicos científicos, publicou os livros *Nos jardins do Psicodrama – Entre o individual e o coletivo contemporâneo* (Alínea, 2004), *Psicossociologia crítica – A intervenção psicodramática* (CRV, 2011), *Por dentro das equipes* (Ágora, 2014), *Nós e nossos personagens – Histórias terapêuticas* (Ágora, 2020) e *Palavras inquietantes – Páginas literárias e terapêuticas* (no prelo). Participa, neste escrito, em seu quinto livro como coautor.

E-mail: contato@luizcontro.com.br

MAHER HASSAN MUSLEH

Psicólogo clínico, mestre em Psicologia Social e psicodramatista pela Sociedade de Psicodrama de São Paulo (SOPSP). Tem formação em Terapia de Casal e de Família pelo Instituto J. L. Moreno de São Paulo. *Full trainer*, terapeuta e supervisor em EMDR certificado pela Associação Ibero-Americana de Psicotrauma (AIBAPT). Tem formação em Terapia Cognitivo-Comportamental pelo Centro de Estudos em Terapia Cognitivo-Comportamental (CETCC). É *counsellor* pela Australian Counselling Association, membro do grupo de estudos sobre prevenção de violência para a paz e agente do programa "Gente que faz a Paz".

Professor do curso de Capacitação de Profissionais para Trabalhar com Violência Doméstica da Associação Paulista de Terapia Familiar (APTF) e do curso de Sexualidade do Centro Salesiano Universitário de São Paulo (Unisal). Tem vasta experiência no atendimento a vitimizadores sexuais e forma e supervisiona profissionais para trabalhar com essa população. É professor e supervisor do curso de Terapia Familiar da APTF. Autor do livro *Comunicação pacífica – A arte de viver em paz* (Umanos, 2019) e coautor de *Pessoas e psicologias* (Umanos, 2018); *Pessoas e qualidade de vida* (Umanos, 2019); *Justiça restaurativa em casos de abuso sexual intrafamiliar de crianças e adolescentes* (Secretaria de Direitos Humanos da Presidência da República/ Instituto Noos, 2012); *A violência doméstica e a cultura da paz* (Roca, 2013).

E-mail: maher11musleh@gmail.com

MARIA AMALIA FALLER VITALE

Professora doutora aposentada da Pontifícia Universidade Católica de São Paulo (PUC-SP). Didata pela Federação Brasileira de Psicodrama (Febrap), terapeuta familiar e membro associado da Associação Paulista de Terapia Familiar (APTF). Sociodramatista pela Sociedade de Psicodrama de São Paulo (SOPSP) e pesquisadora e autora na área de família e casal. É organizadora do livro *Laços amorosos – Terapia de casal e psicodrama* (2004) e coautora de *Quando a psicoterapia trava* (2007), *Psicodrama com casais* (2016) e *Psicoterapia de família com adolescentes* (2019), todos publicados pela Ágora.

E-mail: marfv@terra.com.br

MARIA CÉLIA MALAQUIAS

Psicóloga, psicoterapeuta, psicodramatista didata supervisora pela Sociedade de Psicodrama de São Paulo (SOPSP) e diretora de psicodrama pelo Instituto J. L. Moreno de São Paulo. Mestre em Psicologia Social pela Pontifícia Universidade Católica de São

Paulo (PUC-SP). Atua nas áreas clínica e socioeducacional. Professora convidada de algumas instituições de psicodrama no Brasil. Consultora em escolas, empresas e instituições. Coautora dos livros: *Gostando mais de nós mesmos – Perguntas e respostas sobre autoestima e questões raciais* (Gente, 1999), *Religiões: tolerância e igualdade no espaço da diversidade* (Fala Preta!, 2004), *Mulher do século XXI* (Roca, 2008), *Intervenções grupais – O psicodrama e seus métodos* (Ágora, 2012), *Psicodrama em espaços públicos – Práticas e reflexões* (Ágora, 2014) e *O racismo e o negro no Brasil – Questões para a psicanálise* (Perspectiva, 2020). Organizadora e autora do livro *Psicodrama e relações étnico-raciais – Diálogos e reflexões* (Ágora, 2020). Pesquisadora sobre psicodrama e relações raciais. Atual presidente do 23º Congresso Brasileiro de Psicodrama a ser realizado em setembro de 2022.

E-mail: mcmalaquias@uol.com.br

MARIA LUIZA VIEIRA SANTOS

Psicóloga pela Universidade Federal de Santa Catarina. Psicodramatista didata supervisora com foco psicoterápico e socioeducacional pela Federação Brasileira de Psicodrama (Febrap), diretora de psicodrama pelo Instituto J. L. Moreno de Buenos Aires. Professora e supervisora na Sociedade de Psicodrama de São Paulo (SOPSP) e professora convidada em outras federadas. Consultora voluntária no projeto Amigo Monitor. Psicoterapeuta de crianças e adolescentes, orientação de pais e professores. Coautora dos livros *Por todas as formas de amor – O psicodramatista diante das relações amorosas* (Ágora, 2014) e *Simplesmente amigo* (Frente Verso, 2015).

E-mail: mluizavs@yahoo.com.br

MARIÂNGELA PINTO DA FONSECA WECHSLER

Psicóloga, mestra e doutora em Psicologia Escolar pela Universidade de São Paulo (USP); psicodramatista didata supervisora pela Federação Brasileira de Psicodrama (Febrap); professora e supervisora do curso de formação em Psicodrama do Instituto Sedes Sapientiae, da Sociedade de Psicodrama de São Paulo (SOPSP) e de outras federadas do Brasil; especialista em Terapia Familiar pela Universidade Federal de São Paulo; membro da coordenação do projeto Psicodrama Público SP (desdobrado do Centro Cultural São Paulo, desde 2004). Atendimento psicoterápico em consultório para adultos, casais, famílias e crianças. Autora de livros e capítulos em revistas especializadas.

E-mail: maripfwe@gmail.com

MARÍLIA JOSEFINA MARINO

Doutora em Psicologia e mestre em Educação pela PUC-SP. Pedagoga, coordenadora do curso de Pedagogia e docente da Faculdade de Educação. Coordenadora e docente do curso "Universidade Aberta à Maturidade". Psicodramatista didata supervisora pela Sociedade de Psicodrama de São Paulo (SOPSP), membro fundador, integrante da coordenação e docente do curso de formação em Psicodrama do convênio SOPSP–PUC-SP (1996 a 2018); docente nos cursos livres de educação continuada da SOPSP. Membro da Diretoria de Ensino e Ciência da Federação Brasileira de Psicodrama (Febrap) – Núcleo de Formação (2003 a 2006).

E-mail: marilia_marino@uol.com.br
E-mail institucional: mmarino@pucsp.br

ROSA CUKIER

Psicóloga desde 1974 pela PUC-SP; psicanalista desde 1983 pelo Instituto Sedes Sapientiae de São Paulo; psicodramatista, professora supervisora pela Sociedade de Psicodrama de São Paulo (SOPSP) e pelo Instituto J. L. Moreno de São Paulo. Autora dos livros *Psicodrama bipessoal – Sua técnica, seu cliente e seu terapeuta* (Ágora, 1992); *Sobrevivência emocional – As feridas da infância revividas no drama adulto* (Ágora, 1998); *Palavras de Jacob Levi Moreno – Vocabulário de citações da sociatria:*

psicodrama, psicoterapia de grupo e sociometria (Ágora, 2002); do artigo "Psicodrama da humanidade" no livro *Moreno – Um homem à frente do seu tempo* (Ágora, 2001) e de *Vida e clínica de uma psicoterapeuta* (Ágora, 2018).

E-mail: rosacukier@gmail.com
Site: www.rosacukier.com.br

YVETTE BETTY DATNER

Didata supervisora em Psicodrama. Licenciada em Educação e pós-graduada em Ciências Sociais pela USP. Professora e supervisora em cursos de formação em Psicodrama. Consultora organizacional. Autora de *Jogos para educação empresarial* (Ágora, 2006), coautora de *Intervenções grupais – O psicodrama e seus métodos* (Ágora, 2012), *Grupos – Intervenção socioeducativa e método sociopsicodramático* (Ágora, 2008), e outros. Autora do artigo "Pesquisa de clima organizacional com psicodrama", publicado na Revista Brasileira de Psicodrama (v. 22, n. 1, 2020). Tradutora de *Impromptu Man*, de Jonathan Moreno (Febrap, 2014), e *Sociometria, método experimental e ciência da sociedade*, de J. L. Moreno (Febrap, 2020).

E-mail: ydatnerconsultora@gmail.com

Grupo Summus
www.gruposummus.com.br
www.gruposummus.com.br
Acesse, conheça o nosso catálogo e cadastre-se para receber informações sobre os lançamentos.

www.gruposummus.com.br